REALIENBÜCHER FÜR GERMANISTEN

ABT D:

LITERATURGESCHICHTE

VOLKER MEID

# Der deutsche Barockroman

MCMLXXIV

J. B. METZLERSCHE VERLAGSBUCHHANDLUNG

STUTTGART

ISBN 3 476 10128 2

M 128

 Satz: IBV Lichtsatz KG, Berlin. Druck: Gulde-Druck, Tübingen.

Printed in Germany

# Inhalt

[Alewyn: Beer] *Richard Alewyn:* Johann Beer. Studien zum Roman des 17. Jh.s. 1932.

[Alewyn: Roman des Barock] *Richard Alewyn:* Der Roman des Barock. In: Formkräfte der deutschen Dichtung vom Barock bis zur Gegenwart, hrsg. von Hans Steffen. 1963, [2]1967. S. 21–34.

*Leo Cholevius:* Die bedeutendsten deutschen Romane des 17. Jh.s. Ein Beitrag zur Geschichte der deutschen Literatur. 1866, Reprint 1965.

*Egon Cohn:* Gesellschaftsideale und Gesellschaftsroman des 17. Jh.s. Studien zur deutschen Bildungsgeschichte. 1921, Reprint 1967.

*Adolf Haslinger:* Epische Formen im höfischen Barockroman. Anton Ulrichs Romane als Modell. 1970.

*Arnold Hirsch:* Bürgertum und Barock im deutschen Roman. Ein Beitrag zur Entstehungsgeschichte des bürgerlichen Weltbildes. 1934, [2]1957.

*Ferdinand van Ingen:* Philipp von Zesen. 1970 (M 96).

*Eberhard Lindhorst:* Philipp von Zesen und der Roman der Spätantike. Ein Beitrag zu Theorie und Technik des barocken Romans. Diss. Göttingen 1955 (Masch.).

*Ulrich Maché:* Die Überwindung des Amadisromans durch Andreas Heinrich Bucholtz. In: ZfdPh 85, 1966, S. 542–559.

*Norbert Miller:* Der empfindsame Erzähler. Untersuchungen an Romananfängen des 18. Jh.s. 1968.

[Müller: Barockromane] *Günther Müller:* Barockromane und Barockroman. In: Literaturwiss. Jb. der Görres-Gesellschaft 4, 1929, S. 1–29.

*Hubert Rausse:* Zur Geschichte des Spanischen Schelmenromans in Deutschland. 1908.

*Hans Gerd Rötzer:* Picaro – Landtstörtzer – Simplicius. Studien zum niederen Roman in Spanien und Deutschland. 1972.

[Schäfer: Amadis] *Walter Ernst Schäfer:* Hinweg nun Amadis und deinesgleichen Grillen! Die Polemik gegen den Roman im 17. Jh. In: GRM NF 15, 1965, S. 366–384.

[Singer: Der galante Roman] *Herbert Singer:* Der galante Roman. 1961. [2]1966 (M 10).

[Singer: Roman zwischen Barock und Rokoko] *Herbert Singer:* Der deutsche Roman zwischen Barock und Rokoko. 1963.

[Spahr: Anton Ulrich] *Blake Lee Spahr:* Anton Ulrich and Aramena. The Genesis and Development of a Baroque Novel. Berkeley, Los Angeles 1966.

*Wilhelm Voßkamp:* Romantheorie in Deutschland. Von Martin Opitz bis Friedrich von Blanckenburg. 1973.

[Weydt: Grimmelshausen] *Günther Weydt:* Hans Jacob Christoffel von Grimmelshausen. 1971 (M 99).

[Weydt: Der dt. Roman] *Günther Weydt:* Der deutsche Roman von der Renaissance und Reformation bis zu Goethes Tod. In: Deutsche Philologie im Aufriß. Bd. 2, 2. Aufl. 1960, Sp. 1217–1356.

[Europäische Tradition] *Gerhart Hoffmeister* (Hrsg.): Europäische Tradition und deutsches Literaturbarock. Internationale Beiträge zum Problem von Überlieferung und Umgestaltung. 1973.

[Festschrift Weydt] Rezeption und Produktion zwischen 1570 und 1730. Festschrift für Günther Weydt zum 65. Geburtstag, hrsg. von Wolfdietrich Rasch, Hans Geulen und Klaus Haberkamm. 1972.

[Pikarische Welt] *Helmut Heidenreich* (Hrsg.): Pikarische Welt. Schriften zum europäischen Schelmenroman. 1969.

[Philipp von Zesen 1619–1969] *Ferdinand van Ingen* (Hrsg.): Philipp von Zesen 1619–1969. Beiträge zu seinem Leben und Werk. 1972.

[Simplicissimusdichter] *Günther Weydt* (Hrsg.): Der Simplicissimusdichter und sein Werk. 1969.

## Abkürzungen

| | |
|---|---|
| Abt. | Abteilung |
| ADL | Ausgaben deutscher Literatur des XV. bis XVII. Jh.s |
| Anm. | Anmerkung |
| Art. | Artikel |
| Aufl. | Auflage |
| Bd. | Band |
| DA | Dissertation Abstracts |
| Ders. | Derselbe |
| DN | Deutsche Neudrucke |
| dt. | deutsch |
| Dies. | Dieselbe |
| DVjs. | Deutsche Vierteljahrsschrift für Literaturwissenschaft und Geistesgeschichte |
| ed. | edidit, edited |
| f., ff. | folgend(e) |
| frz. | französisch |
| GRM | Germanisch-Romanische Monatsschrift |
| HA | Hamburger Ausgabe |
| hrsg., Hrsg. | herausgegeben, Herausgeber |
| Jb. | Jahrbuch |
| JEGP | Journal of English and Germanic Philology |
| lat. | lateinisch |
| Lit. | Literatur |
| LVSt | Bibliothek des Literarischen Vereins Stuttgart |
| M | Sammlung Metzler |
| NdL | Neudrucke deutscher Literatur des 17. Jh.s |
| Ndr | Neudrucke deutscher Literaturwerke des 16. und 17. Jh.s |
| NF | Neue Folge |
| NS | Neue Serie |
| PMLA | Publications of the Modern Language Association of America |
| RK | Rowohlts Klassiker der Literatur und der Wissenschaft |
| RL | Reallexikon der deutschen Literaturgeschichte |
| UB | Reclams Universalbibliothek; Universitätsbibliothek |
| vol. | volume |
| ZfdA | Zeitschrift für deutsches Altertum und deutsche Literatur |
| ZfDk | Zeitschrift für Deutschkunde |
| ZfdPh | Zeitschrift für deutsche Philologie |
| Zs. | Zeitschrift |

## *Bibliographien und Ausgaben*

*Leo Cholevius* schreibt 1866 über den höfisch-historischen Roman des 17. Jh.s: »Die historischen Romane des 17. Jahrhunderts, von denen mein Buch handelt, gehören zu den Dichtungen, welche in den kleinsten Compendien unserer Literaturgeschichte aufgezählt werden und von welchen dennoch die bedeutendsten Literatoren keine genauere Kenntniß haben sollen.« (S. III) Als Gründe für diesen Befund gibt er die »Seltenheit solcher älterer Bücher, die man nicht wieder abdrucken läßt« und die Beschaffenheit dieser Dichtungen an, die »wohl den Meisten die Lust benommen haben mag, sie zu lesen« (S. III). In der Tat brachte die Literaturwissenschaft des Positivismus, die für Mittelalter und Goethezeit grundlegende Ausgaben und Untersuchungen vorlegte, nur wenig Interesse für die »Zeit des Verfalls zwischen der Volksdichtung der Hans-Sachs-Zeit und der Klassik der Goethezeit« auf (Trunz, S. 1, über die Einstellung des Positivismus zum 17. Jh.). Die Folgen dieser Haltung machen sich noch heute bemerkbar, denn die geisteswissenschaftlich orientierte Literaturwissenschaft des 20. Jh.s tat nur wenig, um den Mangel an bibliographischen und editorischen Vorarbeiten zu beheben.

Zu den dringlichsten Forschungsaufgaben gehört auch heute noch neben der Erstellung einer Bibliographie des Barockromans bzw. der Barockliteratur überhaupt die Edition der wichtigsten Romane. Außer Werken *Grimmelshausens* – die erste kritische Ausgabe von Adelbert von Keller erschien 1854–1862 – wurden bis zum Beginn des 20. Jh.s nur einige kürzere Barockromane neu ediert *(Kuhnau, Reuter, Weise, Zesen, Zigler)*. Die 1928 begonnene Sammlung ›Deutsche Literatur in Entwicklungsreihen‹ blieb unvollständig, der Barockroman ist nicht repräsentiert. Romaneditionen beschränken sich in den zwanziger und dreißiger Jahren fast ausnahmslos auf Werke Grimmelshausens (hrsg. von Borcherdt, Scholte, u. a.). Erst nach 1960 setzen intensivere Bemühungen ein, das Versäumte nachzuholen. Seit 1967 erscheinen Grimmelshausen »Gesammelte Werke in Einzelausgaben« und in den ›Ausgaben Deutscher Literatur des XV. bis XVIII. Jahrunderts‹ die Werke von *Wolfgang Caspar Printz, Christian Weise* und *Philipp von Zesen.* Weiterhin geplant in dieser Reihe sind Ausgaben der Schriften von *Aegidius Albertinus, Johann Beer* und *Eberhard Guerner Happel.* Im Rahmen der von George Schulz-Behrend herausgegebenen *Opitz*-Ausgabe liegt die Argenisübersetzung vor. Die Arcadiaübertragung wurde in diese Edition nicht aufgenommen; sie ist jedoch in einem photomechanischen Nachdruck erschienen. Neben wissenschaftlich edierten, z. T. kommentierten Einzelausgaben und Leseausgaben für das breitere Publikum erscheinen ziemlich wahllos unkommentierte Reprints einzelner Romane. Was jedoch die großen

Barockromane betrifft, so hat sich »in der leidigen Quellenfrage wenig geändert« (Haslinger, S. 377): Editionen der Großromane vor *Anton Ulrich von Braunschweig, Bucholtz* und *Lohenstein* fehlen noch immer. Ankündigungen von Ausgaben, die teilweise in Fortsetzungen erscheinen sollen, lassen eine Erfüllung der dringendsten Bedürfnisse in den nächsten Jahren erhoffen (Anton Ulrichs »Aramena« und die Romane von Bucholtz und Lohenstein sind angekündigt in den ›Nachdrucke[n] deutscher Literatur des 17. Jahrhunderts‹, Anton Ulrichs »Octavia« in der Reihe ›Deutsche Barockliteratur‹). Bis zu ihrem Erscheinen müssen Proben bei *Cholevius, Knight* und *Schöne* als Behelf dienen. Hingegen sind wichtige Texte zur Romantheorie in den letzten Jahren als Einzelausgaben und in Anthologien erschienen (s. S. 31).

## *Forschung*

Zu den meistzitierten Äußerungen über die deutsche Romandichtung des 17. Jh.s gehört *Eichendorffs* Wort von den Barockromanen als »poetische, gewissermaßen toll gewordene Realenzyklopädien« (Gesch. der poet. Lit. Deutschlands, 1857; Neue Gesamtausgabe, Bd. 4, 1958, S. 102), denen er neben ihrer Gelehrsamkeit und Unnatur Unwahrheit, Unförmlichkeit und »unerhörte Langweiligkeit« vorzuwerfen hat (ebenda S. 102). Mit dieser Wertung, mit der er den höfisch-historischen Roman treffen will, befindet sich Eichendorff in völliger Übereinstimmung mit den anderen Kritikern seiner Zeit. So schließt *Wolff* seine Darstellung des deutschen Barockromans im Rahmen seiner »Allgemeine[n] Geschichte des Romans« (1841, zit. nach [2]1850) mit der Klage, daß das ganze 17. Jh. mit der Ausnahme des auch nicht ganz reinen »Simplicissimus« kein einziges »gesundes Buch« aufzuweisen habe und ein »wunderlicher krankhafter Reiz [...] in allen dichterischen Productionen jener Tage« liege (S. 220 f.). Auch die positivere Einschätzung von Grimmelshausens »Simplicissimus« spiegelt die allgemeine Tendenz der Literarhistorie des 19. Jh.s wieder, die seinen ›Realismus‹ und auch sein ›Deutschtum‹ dem ›Schwulst‹, der Gelehrtheit und der Ausländerei der höfisch-historischen Romane entgegensetzt. Daneben fanden allenfalls die satirischen Romane Weises und Reuters, Lohensteins »Arminius« und Zesens »Adriatische Rosemund« eine wohlwollendere Behandlung: Lohensteins Roman aus patriotischen Beweggründen, der Zesens, weil er auf die Dichtung des 18. Jh.s vorauszuweisen schien.

Das erste Werk, das wenigstens einen Teilbereich des Barockromans wirklich erschloß, war das noch heute nicht ersetzte Buch von *Leo Cholevius,* das die [höfisch-] historischen Romane in Inhaltsangaben, Charakteristiken und Textproben vorstellte. Die erste umfassende Gesamtdarstellung des deutschen Romans des 17. Jh.s unternahm *Felix Bobertag* im Rahmen seiner Fragment gebliebenen »Geschichte des deutschen Romans« (1876–84), die trotz ihrer den Zeitgeist verratenden Werturteile durch die späteren abrißartigen Darstellungen von *H. Rausse* (1914) und *W. Rehm* (1927) nicht ersetzt werden konnte. Die Spezialforschung konzentrierte sich besonders auf den niederen Roman, während das Buch von Cholevius fast wirkungslos blieb.

Erst mit der von der Kunstgeschichte angeregten Neuorientierung der deutschen Barockforschung entstanden neuartige Versuche, dem Roman des 17. Jh.s gerecht zu werden. *Hans Heinrich Borcherdt* benutzte in seiner »Geschichte des Romans und der Novelle in Deutschland« (1926) kunstgeschichtliche Begriffe, als er die Geschichte des Romans und der Novelle im 16. und 17. Jh. etwas schematisch unter die Begriffe Renaissance (15.–16. Jh.), Manierismus (spätes 16. Jh.) und Barock (17. Jh.) stellte. Der entscheidende Anstoß zur Neubewertung des höfisch-historischen Romans des Barock ging von *Günther Müller* aus, der den Zugang zu den komplizierten Strukturen erschloß und im höfisch-historischen Roman die eigentliche »Großform« des Barock erkannte, die in den Werken Anton Ulrichs »die Gesamtheit der höfisch-humanistischen Barockwelt« umfaßt (Barockromane, S. 23). Daneben erforschten *Alewyn, Cohn, Hirsch, Meyer* u. a. weitere Teilbereiche der Romandichtung. *Clemens Lugowski* legte dann die erste konkrete Beschreibung von Strukturformen der Romane Anton Ulrichs vor, die seither im Mittelpunkt der Strukturuntersuchungen stehen. Nachdem das Feld der formalen und strukturellen Arbeiten längere Zeit spezialisierten Dissertationen vorbehalten war, hat jetzt *Adolf Haslinger*, ebenfalls am Modell Anton Ulrichs, den gesamten Bereich der »Epischen Formen im höfischen Barockroman« beschrieben.

Zu einer gültigen Zusammenfassung der Forschungsergebnisse der zwanziger und dreißiger Jahre, in denen das Gebiet des Barockromans »zum beliebten Dissertanten-Acker« wurde (Haslinger, S. 377), in einer Geschichte des Romans oder einer Literaturgeschichte kam es nicht: die Literaturgeschichten von G. Müller und P. Hankamer, so wichtige Einsichten in den Barockroman sie auch enthalten, erschienen zu früh, so daß geistesgeschichtliche Konstruktionen oft über die fehlenden Vorarbeiten hinwegtäuschen mußten. Am ehesten kann *Günther Weydts* Darstellung des Barockromans (Der dt. Roman, 1954, $^{2}$1960), die zum erstenmal auch Form- und Erzählprobleme in größerem Maß berücksichtigt, als Zusammenfassung der seit den zwanziger Jahren gewonnenen neuen Einsichten in den Barockroman gelten. Auch Weydt versucht, den Manierismusbegriff in die Entwicklungsgeschichte des deutschen Romans einzuführen, um die Periode zwischen 1560 und 1660, die Übergangszeit zwischen Reformation und voller Entfaltung des Barock, in den Griff zu bekommen. – Beschränktere Ziele haben sich die beiden neuesten Darstellungen des Barockromans gesetzt: *Rötzers* »Kommentar zu einer Epoche« enthält neben einer ausführlichen Bibliographie der Primär- und Sekundärliteratur vor allem Inhaltsangaben und faktisches Grundwissen; *Wagener* konzentriert sich auf eine Beschreibung der drei Hauptgattungen des Barockromans und ihrer Variation in repräsentativen Werken (zur Gattungseinteilung s. S. 49 f.). Eine Geschichte des Barockromans als »Krisen«-Geschichte, wie sie Voßkamp erörtert (S. 1 f.), ist noch nicht geschrieben.

*Texte:*

*K. G. Knight* (Hrsg.): Deutsche Romane der Barockzeit. Auszüge aus dem erzählenden Schrifttum des 17. Jh.s. London 1969.

*Albrecht Schöne* (Hrsg.): Das Zeitalter des Barock. Die deutsche Literatur, Texte und Zeugnisse, Bd. 3. 1963, $^{2}$1968.

*Klaus Kaczerowsky* (Hrsg.): Schäferromane des Barock. 1970 (RK 530–531).

*Amadis. Erstes Buch*, hrsg. von Adelbert von Keller. 1857, Reprint 1963 (LVSt 40).

*Johann Valentin Andreae:* Christianopolis. 1619. Hrsg. von Richard von Dülmen. 1972.

*Johann Beer:* Das Narrenspital sowie Jucundi Jucundissimi Wunderliche Lebens-Beschreibung, hrsg. von Richard Alewyn. 1957 (RK 9). – Kurtzweilige Sommer-Täge. Abdruck der einzigen Ausgabe (1683), hrsg. von Wolfgang Schmitt. 1958 (Ndr 324; Halle). – Der verliebte Österreicher oder Kurtzweil mit Frauenzimmern, hrsg. von Fritz Habeck. Graz 1961, $^{2}$1964. – Die teutschen Winter-Nächte & Die kurzweiligen Sommer-Täge, hrsg. von Richard Alewyn. 1963. – Printz Adimantus und der Königlichen Princeßin Ormizella Liebes-Geschicht, hrsg. von Hans Pörnbacher. 1967 (UB 8757). – Der neu ausgefertigte Jungfer-Hobel, hrsg. von Eberhard Haufe. 1968. – Der verkehrte Staats-Mann Oder Nase-weise Secretarius. 1970. – Die Abenteuer des jungen Jan Rebhù, hrsg. von Josef Friedrich Fuchs. Wien 1960.

*August Bohse:* Die Liebenswürdige Europäerin Constantine, 1698. 1970.

*Andreas Heinrich Bucholtz:* Des Christlichen Teutschen Groß-Fürsten Herkules ... Wunder-Geschichte. Teil I, Buch 1–2, hrsg. u. eingeleitet v. Ulrich Maché. 1973 (NdL).

*[Joachim Caesar:]* Don Kichote de la Mantzscha. 1648, hrsg. von Hermann Tiemann. 1928.

*C. E. F. [Christian Ernst Fidelinus]:* Engeländische Banise, 1754. 1970.

*Michael Erich Franck [Melisso]:* Des glückseeligen Ritters Adelphico Lebens- und Glücks-Fälle, 1715. 1970.

*Hans Jacob Christoffel von Grimmelshausen:* Gesammelte Werke in Einzelausgaben. Unter Mitarbeit von Wolfgang Bender und Franz Günter Sieveke hrsg. von Rolf Tarot. 1967 ff. Für die bisher erschienenen Bände und weitere wichtige Grimmelshausen-Ausgaben vgl. Günther Weydt: Hans Jacob Christoffel von Grimmelshausen. 1971 (M 99), S. XI-XIII.

*Eberhard Guerner Happel:* Der Akademische Roman, hrsg. von Günter E. Scholz. 1962.

*[Georg Philipp Harsdörffer:]* Diana Von H. J. De Monte-Major (Diana I-III), 1646. 1970.

*Christian Friedrich Hunold:* Die liebenswürdige Adalie. Faksimiledruck der Ausgabe von 1702 mit einem Nachwort von Herbert Singer. 1967 (DN, Reihe 18. Jh.). – Satyrischer Roman (1706), hrsg. v. Hans Wagener. 1973 (NdL).

*Johann Kuhnau:* Der musicalische Quack-Salber, hrsg. von Kurt Benndorf. 1900 (Dt. Litteraturdenkmale des 18. und 19. Jh.s 83–88, NF 33–38).

Leben vnd Wandel *Lazaril von Tormes* Verdeutzscht 1614, hrsg. von Hermann Tiemann. 1951.

*Mirandor:* Die Heldenmüthige Printzeßin Bellisandra, 1742. 1970.

*Martin Opitz:* Die Übersetzung von John Barclays Argenis, hrsg. von George Schulz-Behrend. 1970 (Gesammelte Werke Bd. 3, 1 und 2; LVSt 296 und 297). – Arcadia Der Gräffin von Pembrock, Nachdruck der Ausgabe von 1643. 1971.

*Wolfgang Caspar Printz:* Die Musikerromane, hrsg. von Helmut K. Krausse. 1974 (Ausgewählte Werke, Bd. 1; ADL).

*Christian Reuter:* Schelmuffsky. Abdruck der ersten Fassung 1696, hrsg. von A. Schullerus. 1885 (Ndr 59). – Schelmuffsky. 2., verb. Aufl., Abdruck der Erstausgaben (1696–1697) im Parallel-Druck, hrsg. von Wolfgang Hecht. 1956 (Ndr 57–59; Halle). – Schelmuffsky. Abdruck der Erstausgabe 1696–1697, hrsg. von Peter von Polenz. 1956 (Ndr 57–59; Tübingen). – Schelmuffsky, hrsg. von Ilse-Marie Barth, 1964 (UB 4343).

*Johann Leonhard Rost:* Die Unglückseelige Atalanta, 1708. 1971.

*Laurentius von Schnüffis* [Schnifis]: Philotheus oder des Miranten Weg, hrsg. von Eugen Thurnher. Bregenz o. J.

*Johann Gottfried Schnabel:* Der im Irrgarten der Liebe herumtaumelnde Kavalier. Mit einem Nachwort von Hans Mayer. 1968.

*[Daniel Speer:]* Ungarischer oder Dacianischer Simplicissimus, hrsg. von Marian Szyrocki u. Konrad Gajek. 1973 (Wiener Neudrucke, Bd. 3).

*Johann Thomas:* Damon und Lisille, 1663 und 1665, hrsg. von Herbert Singer und Horst Gronemeyer. 1966.

*Christian Weise:* Die drei ärgsten Erznarren in der ganzen Welt. Abdruck der Ausgabe von 1673, hrsg. von Wilhelm Braune. 1878 (Ndr 12-14), $^{2}$1967.

*Philipp von Zesen:* Adriatische Rosemund 1645, hrsg. von Max Hermann Jellinek. 1899 (Ndr 160–163). – Adriatische Rosemund, hrsg. von Klaus Kaczerowsky. 1970. – Assenat 1670, hrsg. von Volker Meid. 1967 (DN, Reihe Barock 9). – Die Afrikanische Sofonisbe, hrsg. von Volker Meid.

1972 (Sämtliche Werke, Bd. 6; ADL). – Simson, hrsg. von Volker Meid. 1970 (Sämtliche Werke, Bd. 8; ADL).

*Heinrich Anselm von Zigler und Kliphausen:* Asiatische Banise, hrsg. von Felix Bobertag. 1883 (Kürschners Dt. Nationalliteratur). – Asiatische Banise. Vollständiger Text nach der Ausgabe von 1707 hrsg. von Wolfgang Pfeiffer-Belli. 1965.

*Literatur:*

*Bibliographien; Forschungsberichte*


*Friedhelm Kemp:* Bibliographien zur deutschen Barockliteratur. Versuch einer Übersicht und Kritik. In: Börsenblatt für den dt. Buchhandel 28, 1972, S. A40–A44 (Beilage ›Aus dem Antiquariat‹).

*John D. Lindberg:* Internationale Bibliographie der deutschen Barockliteratur. Ein Bericht. In: Colloquia Germanica 4, 1970, S. 110–120.

*Günter Albrecht / Günther Dahlke:* Internationale Bibliographie zur Geschichte der deutschen Literatur von den Anfängen bis zur Gegenwart. 1. Teil: Von den Anfängen bis 1789. 1969.

*J. Bruckner:* A Bibliographical Catalogue of 17th-Century German Books Published in Holland. The Hague, Paris 1971.

*Klaus Bulling:* Bibliographie zur Fruchtbringenden Gesellschaft. In: Marginalien 20, 1965, S. 3–110.

*Curt von Faber du Faur:* German Baroque Literature. A Catalogue of the Collection in the Yale University Library. 2 Bde, New Haven, London 1958–1969.

*Karl Goedeke:* Grundriß zur Geschichte der deutschen Dichtung. 2. Aufl., Bd. 3, 1887.

*Harold Jantz:* Catalogue and Guide to the Microfilm Edition of the Harold Jantz Collection of German Baroque Literature. New Haven 1973.

*Hugo Hayn / Alfred N. Gotendorf:* Bibliotheca Germanorum erotica et curiosa. 8 Bde., [3]1912–1914; Ergänzungsband 9, 1929.

*Ingrid Merkel:* Barock. 1971 (Handbuch der deutschen Literaturgeschichte: Abt. 2, Bibliographien, Bd. 5).

*Gero von Wilpert / Adolf Gühring:* Erstausgaben deutscher Dichtung. Eine Bibliographie zur deutschen Literatur 1600–1960. 1967.

*Wolfgang Bender:* Herzog Anton Ulrich von Braunschweig-Wolfenbüttel. Biographie und Bibliographie zu seinem 250. Todestag. In: Philobiblon 8, 1964, S. 166–187.

*Karl F. Otto:* Philipp von Zesen. A Bibliographical Catalogue. 1972.

*Heinz Zirnbauer:* Bibliographie der Werke Georg Philipp Harsdörffers. In: Philobiblon 5, 1961, S. 12–49.

*Gisela Herbst:* Die Entwicklung des Grimmelshausenbildes in der wissenschaftlichen Literatur. 1957.

*Erik Lunding:* Stand und Aufgaben der deutschen Barockforschung. In: Orbis litterarum 8, 1950, S. 27–91.
*Erich Trunz:* Die Erforschung der deutschen Barockdichtung. Ein Bericht über Ergebnisse und Aufgaben. In: DVjs. 18, 1940, Referatenheft, S. 1–100.
*Herbert Zeman:* Deutsche Barockliteratur I: Neudrucke deutscher Literatur des 17. Jh.s in den beiden Verlagen Niemeyer. In: Wissenschaft und Weltbild 22, 1969, S. 139–152.
*Ders.:* Deutsche Barockliteratur II. In: Wissenschaft und Weltbild 23, 1970, S. 68–78.

*Literaturgeschichten*

*Joachim G. Boeckh / Günter Albrecht* u. a.: Geschichte der deutschen Literatur 1600 bis 1700 (= Bd. 5 von: Geschichte der deutschen Literatur von den Anfängen bis zur Gegenwart, hrsg. von K. Gysi, K. Böttcher u. a.). 1962.
*Herbert Cysarz:* Deutsche Barockdichtung. Renaissance – Barock – Rokoko. 1924.
*Willi Flemming:* Das Jahrhundert des Barock 1600–1700. In: Annalen der deutschen Literatur, hrsg. von H. O. Burger, 2. Aufl. 1962, S. 339–404.
*Friedrich Gaede:* Humanismus – Barock – Aufklärung. Geschichte der deutschen Literatur vom 16. bis zum 18. Jh. 1971.
*Paul Hankamer:* Deutsche Gegenreformation und deutsches Barock. Die deutsche Literatur im Zeitraum des 17. Jh.s. 1935, $^{3}$1964.
*Werner Kohlschmidt:* Geschichte der deutschen Literatur vom Barock bis zur Klassik. 1965.
*Karl Lemcke:* Geschichte der deutschen Dichtung neuerer Zeit. 1: Von Opitz bis Klopstock. 1871, $^{2}$1882.
*Günther Müller:* Deutsche Dichtung von der Renaissance bis zum Ausgang des Barock. 1927–1929, $^{2}$1957.
*Richard Newald:* Die deutsche Literatur vom Späthumanismus zur Empfindsamkeit 1570–1750. 1951, $^{6}$1967 (= Bd. 5 von: Geschichte der deutschen Literatur von den Anfängen bis zur Gegenwart von H. de Boor und R. Newald).
*Roy Pascal:* German Literature in the Sixteenth and Seventeenth Centuries. Renaissance-Reformation-Baroque. London 1968.
*Marian Szyrocki:* Die deutsche Literatur des Barock. Eine Einführung. 1968.

*Darstellungen der Geschichte des deutschen Romans*

*Felix Bobertag:* Geschichte des Romans und der ihm verwandten Dichtungsgattungen in Deutschland. 1. Abt., Bd. 1–2, 1876–1884.
*Hans Heinrich Borcherdt:* Geschichte des Romans und der Novelle in Deutschland. 1. Teil: Vom frühen Mittelalter bis zu Wieland. 1926.
*Hildegard Emmel:* Geschichte des deutschen Romans. Bd. 1, 1972.

*Dies.:* Art. ›Roman‹ in: Reallexikon der deutschen Literaturgeschichte, 2. Aufl., Bd. 3, 6. Lieferung, 1972, S. 490–519.
*Hubert Rausse:* Geschichte des deutschen Romans bis 1800. 1914.
*Walther Rehm:* Geschichte des deutschen Romans. I: Vom Mittelalter bis zum Realismus. 1927.
*Günther Weydt:* Der deutsche Roman von der Renaissance und Reformation bis zu Goethes Tod. In: Deutsche Philologie im Aufriß, Bd. 2, 2. Aufl. 1960, Sp. 1217–1356.
*O. L. B. Wolff:* Allgemeine Geschichte des Romans, von dessen Ursprung bis zur neuesten Zeit. 1841, [2]1850.

*Arbeiten zum deutschen Barockroman*

*Richard Alewyn:* Der Roman des Barock. In: Formkräfte der deutschen Dichtung vom Barock bis zur Gegenwart, hrsg. v. H. Steffen. 1963. [2]1967, S. 21-34.
*Leo Cholevius:* Die bedeutendsten deutschen Romane des 17. Jh.s. Ein Beitrag zur Geschichte der deutschen Literatur. 1866, Reprint 1965.
*Egon Cohn:* Gesellschaftsideale und Gesellschaftsroman des 17. Jh.s. Studien zur deutschen Bildungsgeschichte. 1921, Reprint 1967.
*Hans Ehrenzeller:* Studien zur Romanvorrede von Grimmelshausen bis Jean Paul. Bern 1955.
*Leo Farwick:* Die Auseinandersetzung mit der Fortuna im höfischen Barockroman. Diss. Münster 1940.
*Hans Geulen:* Erzählkunst der frühen Neuzeit. Habil.-Schrift, Münster 1971 (Masch.).
*Adolf Haslinger:* Epische Formen im höfischen Barockroman. Anton Ulrichs Romane als Modell. 1970.
*Arnold Hirsch:* Bürgertum und Barock im deutschen Roman. Ein Beitrag zur Entstehungsgeschichte des bürgerlichen Weltbildes. 1934, [2]1957.
*Paul Hultsch:* Der Orient in der deutschen Barockliteratur. Diss. Breslau 1936.
*Antonie Claire Jungkunz:* Menschendarstellung im deutschen höfischen Roman des Barock. 1937, Reprint 1967.
*Clemens Lugowski:* Die märchenhafte Enträtselung der Wirklichkeit im heroisch-galanten Roman. In: R. Alewyn: Deutsche Barockforschung. Dokumentation einer Epoche. 1965, S. 372–394 (zuerst: C. Lugowski: Wirklichkeit und Dichtung. Untersuchungen zur Wirklichkeitsauffassung Heinrich von Kleists. 1936, S. 1–25).
*Heinrich Meyer:* Der deutsche Schäferroman des 17. Jh.s. Diss. Freiburg 1928.
*Georg Misch:* Geschichte der Autobiographie, 4. Bd., 2. Hälfte: Von der Renaissance bis zu den autobiographischen Hauptwerken des 18. und 19. Jh.s 1969.
*Günther Müller:* Barockromane und Barockroman. In: Literaturwiss. Jb. der Görres-Gesellschaft 4, 1929, S. 1–29.

*Günther Müller / Hans Naumann:* Höfische Kultur. 1929 (DVjs., Buchreihe, Bd. 17).
*Hubert Rausse:* Zur Geschichte des Spanischen Schelmenromans in Deutschland. 1908.
*Hans Gerd Rötzer:* Der Roman des Barock. 1600–1700. Kommentar zu einer Epoche. 1972.
*Walter Ernst Schäfer:* Tugendlohn und Sündenstrafe in Roman und Simpliciade. In: ZfdPh 85, 1966, S. 481–500.
*Herbert Singer:* Der deutsche Roman zwischen Barock und Rokoko. 1963.
*Ders:* Der galante Roman. 1961. ²1966 (M 10).
*Ders:* Joseph in Ägypten. Zur Erzählkunst des 17. und 18. Jh.s. In: Euphorion 48, 1954, S. 249–279.
*Ulrich Stadler:* Der einsame Ort. Studien zur Weltabkehr im heroischen Roman. Bern 1971.
*Gerhard Wilhelm Stern:* Die Liebe im deutschen Roman des 17. Jh.s. 1932, Reprint 1967.
*Herbert Volkmann:* Der deutsche Romantitel (1470–1770). Eine buch- und literaturgeschichtliche Untersuchung. In: Börsenblatt für den dt. Buchhandel 23, 1967, S. 1081–1170.
*Wilhelm Voßkamp:* Romantheorie in Deutschland. Von Martin Opitz bis Friedrich von Blanckenburg. 1973.
*Hans Wagener:* The German Baroque Novel. New York 1973.
*Franz Weißker:* Der heroisch-galante Roman und die Märtyrerlegende. Diss. Leipzig 1943 (Masch.).
*Ernst-Peter Wieckenberg:* Zur Geschichte der Kapitelüberschrift im deutschen Roman vom 15. Jh. bis zum Ausgang des Barock. 1969.
*Otto Woodtli:* Die Staatsräson im Roman des deutschen Barocks. 1943.

## B. Ausländische Vorbilder; Übersetzungen

Die mit dem Namen von *Martin Opitz* verbundene Literaturreform brachte eine entschiedene Abwendung von der deutschsprachigen Literatur des 16. Jh.s und ihren als antiquiert empfundenen Formen und Stoffen und eine Orientierung an der europäischen Renaissanceliteratur. Für den Roman bedeutete diese Einstellung, daß die Brücken zum Roman des 15. und 16. Jh.s, den sogenannten »Volksbüchern«, abgebrochen wurden und ein neuer Anfang durch die Übertragung zeitgenössischer ausländischer Romane gesucht wurde. Opitz selbst übersetzte einen der bekanntesten ausländischen Romane ins Deutsche (Barclay, »Argenis«, 1621, dt. 1626). Die auch von der Fruchtbringenden Gesellschaft geförderten Übersetzungen durch *Opitz, Diederich von dem Werder, Zesen, Harsdörffer, Moscherosch, Stubenberg* u. a. trugen wesentlich zur Schaffung einer neuen deutschen Kunstprosa bei, »die an Klarheit des

Ausdrucks, an Geschliffenheit und Eleganz, sowie an Freiheit von Fremdwörtern die erzählerische Sprachform des 16. Jahrhunderts weit hinter sich ließ« (Maché, S. 542). Damit waren die Voraussetzungen für eine eigene Romanproduktion gegeben: Die Geschichte des deutschen Barockromans beginnt als Rezeptionsgeschichte.

Zwei Einschränkungen müssen an dieser Stelle gemacht werden: trotz der entschiedenen Abkehr von der Literatur des 16. Jh.s verschwanden die sogenannten »Volksbücher« nicht einfach. Obwohl mit Geringschätzung und Verachtung von den tonangebenden Literaten beiseitegeschoben, erlebten sie im 17. Jh. noch eine beträchtliche Zahl von Auflagen (vgl. die Bibl. von Heitz-Ritter).

Die zweite Einschränkung betrifft den Beginn der Übersetzungsliteratur selbst. Natürlich wurden schon vor der Opitzschen Reform und den Bemühungen der Sprachgesellschaften Romane ins Deutsche übersetzt. Der deutsche Prosaroman des 15. und 16. Jh.s beruht großenteils auf ausländischen Vorbildern. Neu im 17. Jh. ist die »kulturpatriotische Tendenz« (Markwardt), der bewußte Versuch, die deutsche Sprache durch Übersetzungen ausländischer Muster zu erneuern und damit zugleich die Ebenbürtigkeit der deutschen Sprache und Literatur zu erweisen.

*Literatur:*


*Ulrich Maché:* Die Überwindung des Amadisromans durch Andreas Heinrich Bucholtz. In: ZfdPh 85, 1966, S. 542–559.

*Bruno Markwardt:* Geschichte der deutschen Poetik. Bd. I: Barock und Frühaufklärung. 1937, $^{3}$1964.

*Karl F. Otto:* Die Sprachgesellschaften des 17. Jh.s. 1972 (M 109).


*Ausgewählte Literatur zum deutschen Roman des 15. und 16. Jh.s*


*Alois Brandstetter:* Prosaauflösung. Studien zur Rezeption der höfischen Epik im frühneuhochdeutschen Prosaroman. 1971.

*Joachim Bumke:* Die romanisch-deutschen Literaturbeziehungen im Mittelalter. 1967.

*Walter Heise:* Die deutschen Volksromane vom »Fortunatus« bis zum »Simplicissimus« in ihrer poetischen Struktur. Diss. Göttingen 1952.

*Paul Heitz / Fr. Ritter:* Versuch einer Zusammenstellung der deutschen Volksbücher des 15. und 16. Jh.s nebst deren späteren Ausgaben und Literatur. 1924.

*Wolfgang Liepe:* Elisabeth von Nassau-Saarbrücken. Entstehung und Anfänge des Prosaromans in Deutschland. 1920.

*Ders:* Die Entstehung des Prosaromans in Deutschland. In: ZfDk 36, 1922, S. 145–161 (auch in W. L.: Beiträge zur Literatur- und Geistesgeschichte. 1963. S. 9–28).

*Clemens Lugowski:* Die Form der Individualität im Roman. Studien zur inneren Struktur der frühen deutschen Prosaerzählung. 1932, Reprint 1970.
*Hans-Gert Roloff:* Stilstudien zur Prosa des 15. Jh.s. Die Melusine des Thüring von Ringoltingen. 1970.
*Wolfgang Stammler:* Von der Mystik zum Barock 1400 bis 1600. 2. Aufl. 1950.
*Norbert Thomas:* Handlungsstruktur und dominante Motivik im deutschen Prosaroman des 15. und frühen 16. Jh.s. 1971.

## *I. Der höfisch-historische Roman*

### *Amadís*

Mit der deutschen Übersetzung des Amadísromans (seit 1569) überlagert eine höfisch gesinnte Literatur die Ansätze eines bürgerlichen deutschen Prosaromans, wie sie sich im 16. Jh. herausgebildet hatten (Jörg Wickram). Der Erfolg des Amadísromans, einer »Literatur der höfischen Idee« (Müller, Barockromane, S. 5), spiegelt die sich verändernde gesellschaftliche Situation wieder, in der der Adel wieder die politische und kulturelle Führung übernimmt.

In der Forschung stand zunächst die Ursprungsfrage im Vordergrund, wobei spanische, portugiesische und französische Lösungen angeboten wurden (zur Orientierung vgl. die Arbeiten von Braunfels und Henry Thomas). Der Roman wird zum erstenmal in Spanien greifbar: die älteste erhaltene Fassung, die wohl auf Vorstufen zurückgeht, besteht aus den ersten vier Büchern von *Garcí Ordoñez de Montalvo* (verschiedene Namensformen sind überliefert, vgl. Thomas, Amadís, S. 252). Diese ersten vier Bücher bilden den Grundstock der Forsetzungsserie. In Spanien entstehen weitere acht Bücher, die restlichen zwölf in Frankreich, Italien und Deutschland (vgl. die Aufstellung bei Thomas, Amadís, S. 292 ff.) Für die deutsche Literatur entscheidend wurde die französische Übersetzung, die *Nicolas de Herberay des Essarts* 1540 mit dem ersten Band einleitete und bis zum 8. Buch fortsetzte, bevor ihn andere Übersetzer und Bearbeiter ablösten. Die frz. Fassung unterscheidet sich von der spanischen durch eine stärkere Psychologisierung und Erotisierung, die eine stärkere Empfindsamkeit des Liebesgefühls mit sich bringen: sie ist »wortreicher, preziöser, empfindsamer« (Küchler, S. 225). Die deutsche Fassung, die von 1569 bis 1595 in 24 Bänden erschien und dem Verleger Feyerabend eingestandenermaßen mehr einbrachte als »des Luthers Postill« (zitiert nach Müller, RL I, 2. Aufl. 1958, S. 47), folgt in den Bänden 1–21 der frz. Ausgabe. Die verschiedenen Übersetzer, die in der Regel durch Intitialen zeichnen, sind nicht bekannt. Eine Ausnahme bildet der Übersetzer des 6. Buchs, *Johann Fischart*. Die letzten drei Bücher (22–24) des deutschen »Amadís« gehen nicht auf eine französische Vorlage zurück, sondern scheinen umgekehrt die Grundlage für die frz. Fassung der letzten drei Bücher zu bilden (Thomas, Amadís, S. 282; Mulertt, S. 23 ff.). Italienische Quellen werden von Mulertt für die letzten drei Bücher in Erwägung gezogen (S. 62). Die letzten Neuauflagen einzelner Amadísbücher sind für 1617 belegt. Schatzkammern, d. h. Blütenlesen von Briefen und Reden aus den Amadísbüchern erscheinen nach französischem Vorbild von 1596 bis 1624 (Mulertt, S. 82 ff.).

Obwohl durch die Kaiser von Konstantinopel, die das christliche Europa vor der Eroberung durch die Heiden schützen sollen, so etwas wie ein politischer Mittelpunkt gegeben ist (Hauffen, S. 472), herrscht im »Amadís« im Ganzen zeitloses, feudales Mittelalter vor. Neben der unbefangenen Erotik und den Kräften der Magie wird dieser Punkt der fehlenden historischen Einordnung später dem »Amadís« zum Vorwurf gemacht (Maché, S. 545). Für den Barockroman steht nur die höfische Haltung bereit: die Organisation eines uferlos wuchernden Stoffes und die soziologische Einordnung der fahrenden Ritter in die Gegebenheiten des neuzeitlichen absolutistischen Staats bleibt dem Roman des 17. Jh.s vorbehalten.

Zurück auf die Entstehungszeit der ersten Amadísbände geht ein allegorischer Liebesroman (*Diego de San Pedro,* »Cárcel de amor«, 1492), der 1624 von Hans Ludwig von Kuffstein ins Deutsche übertragen wurde. Obwohl Kuffsteins Übersetzung mehrfach aufgelegt wurde, ist nichts über Wirkungen auf die deutsche Literatur bekannt.

*Literatur:*

*Ludwig Braunfels:* Kritischer Versuch über den Roman Amadís von Gallien. 1876.

*Adolf Hauffen:* Rezension von Maximilian Pfeiffer: Amadisstudien. Diss. Erlangen 1905. In: ZfdPh 42, 1910, S. 470–483.

*Walther Küchler:* Empfindsamkeit und Erzählkunst im Amadisroman. In: Zs. f. frz. Sprache und Litteratur 35, 1909, S. 158–225.

*Barbara Langholf:* Die Syntax des deutschen Amadisromans. Untersuchungen zur Sprachgeschichte des 16. Jh.s. Diss. Hamburg 1969.

*Werner Mulertt:* Studien zu den letzten Büchern des Amadisromans. 1923.

*Maximilian Pfeiffer:* Amadisstudien. Diss. Erlangen 1905.

*Walter Ernst Schäfer:* Hinweg nun Amadis und deinesgleichen Grillen! Die Polemik gegen den Roman im 17. Jh. In: GRM NF 15, 1965, S. 366–384.

*Wilhelm Seibt:* Einfluß des französischen Rittertums und des Amadis von Gallien auf die deutsche Kultur. Programm Frankfurt a. M. 1886.

*Henry Thomas:* The Romance of Amadís of Gaul. In: Transactions of the Bibliographical Society. Bd. 11, London 1912, S. 251–297; Reprint 1967.
*Ders.:* Spanish and Portuguese Romances of Chivalry: The Revival of the Romance of Chivalry in the Spanish Peninsula, and its Extension and Influence Abroad. Cambridge 1920, Reprint 1969.
*Maché; Müller:* Barockromane.

*Gerhart Hoffmeister:* Diego de San Pedro und Hans Ludwig von Kuffstein. Über eine frühbarocke Bearbeitung der spanischen Liebesgeschichte »Cárcel de amor«. In: Arcadia 6, 1971, 139–150.

## *Heliodors »Aithiopika«*

Das Vorbild für die Komposition des europäischen Barockromans bildet *Heliodors* »Aithiopika« (3. Jh. n. Chr.). Mit dem ersten griechischen Druck von 1534 beginnt der Siegeszug des Romans (Bibliographie bei Lindhorst, S. 158 f., und Oeftering, S. 45 ff.). Der Renaissancepoetiker *Julius Caesar Scaliger* stellt die »Aithiopika« als Muster epischer Dichtung hin (Poetices libri septem, 1561, Sp. 144a). Die deutsche Fassung von *Johann Zschorn,* 1559, wurde zwar ins ›Buch der Liebe‹ (1587) aufgenommen und erlebte bis 1660 insgesamt 8 Auflagen, blieb aber ohne Wirkung. Erst über den französischen Roman kommen die Tugenden des Heliodorschen Romans der deutschen Literatur zugute (Lindhorst, S. 72): Handlungsschema, Komposition, Charakter des Romans als Prüfungsroman, Betonung des starken Frauencharakters, Keuschheit der Helden, göttliche Lenkung des Geschehens. Eine Zusammenstellung der frühen Drucke der wichtigsten spätantiken Romane gibt Lindhorst (S. 157 ff.).

*Literatur:*

*Eberhard Lindhorst:* Philipp von Zesen und der Roman der Spätantike. Ein Beitrag zu Theorie und Technik des barocken Romans. Diss. Göttingen 1955 (Masch.).
*Michael Oeftering:* Heliodor und seine Bedeutung für die Litteratur. 1901.
*Charlotte Prosch:* Heliodors »Aithiopika« als Quelle für das deutsche Drama des Barockzeitalters. Diss. Wien 1956 (Masch.).

## *Barclay, Sidney und Opitz*

Unter den Romanen, die in der ersten Hälfte des 17. Jh.s nach Deutschland gelangen, nimmt die »Argenis« von *John Barclay* eine besondere Stellung ein: »Johann Barclayens Argenis Deutsch gemacht durch Martin Opitzen«, 1626 (nach Schulz-Behrend erst 1627 erschienen; zuerst lat. 1621, frz. 1623). Dieser Schlüsselroman, der Ludwig XIII. von Frankreich gewidmet ist, vertritt die Tendenzen des auf Zentralismus drängenden absolutistischen Staats. Er begründet die barocke Tradition der Einheit von Liebes- und Staatsgeschichte und wird auch formal zum Vorbild. Mit der »Argenis« wird das Heliodorsche Romanschema mit seinem Beginn medias in res, den nachgeholten Vorgeschichten und der endlichen Auflösung aller Verwirrungen am Schluß bestimmend für den höfisch-historischen Roman des 17. Jh.s. Die entscheidende Zutat Barclays besteht darin, daß gegenüber dem griechischen Reise- und Liebesroman die politische Komponente ungleich stärker betont, wenn nicht gar erst eingeführt wird, so daß aus der Geschichte eines Liebespaars zugleich ein weltgeschichtliches Ereignis mit ungeahnten Verwicklungen wird. G. Müller hat darüber ausführlich an verschiedenen Stellen gehandelt. – Den von *A. M. de Mouchemberg* stammenden zweiten Teil der »Argenis« (1625) übersetzte Opitz 1631.

Barclays Roman verstärkt die Tendenzen, die schon in *Sir Philip Sidneys* »Arcadia« (1590, ergänzte Fassung 1593) angelegt sind. Dieser Roman, des Titels wegen häufig unter die Schäferromane gerechnet, wird erst nach der »Argenis« ins Deutsche übertragen. Der ersten Auflage der Übersetzung von *Valentinus Theokritus von Hirschberg* (1629) folgen 1638, 1642, 1643 u. ö. weitere, um das 6. Buch vermehrte Auflagen in der Bearbeitung von *Martin Opitz*. Schon Sidney verbindet Ritterroman, Schäferroman und Elemente des hellenistischen Romans zur repräsentativen »Form des heroisch-galanten Romans, der über ein Jahrhundert in der europäischen Literatur das Romanschaffen beherrscht hat« (Otten, S. 27).

*Literatur:*

*Horst Oppel:* Der Einfluß der englischen Literatur auf die deutsche. In: Deutsche Philologie im Aufriß, Bd. 3, ²1962, Sp. 201–308.

*Ders.:* Englisch-deutsche Literaturbeziehungen. I: Von den Anfängen bis zum Ausgang des 18. Jh.s. 1971.

*Kurt Otten:* Der englische Roman vom 16. zum 19. Jh. 1971.

*Gilbert Waterhouse:* The Literary Relation of England and Germany in the Seventeenth Century. Cambridge 1914, Reprint 1966.

*K. Brunhuber:* Sir Philip Sidneys »Arcadia« und ihre Nachläufer. Literarhistorische Studie. 1903.

*Hildegardis Hüsgen:* Das Intellektualfeld in der deutschen »Arcadia« und in ihrem englischen Vorbild. Diss. Münster 1935.

*Paula Kettelhoit:* Formanalyse der Barclay-Opitzschen »Argenis«. Diss. Münster 1934.
*Karl Friedrich Schmid:* John Barclays »Argenis«. Eine literarhistorische Untersuchung. I: Ausgaben der »Argenis«, ihrer Fortsetzungen und Übersetzungen. 1904.
*George Schulz-Behrend:* Opitz' Übersetzung von Barclays »Argenis«. In: PMLA 70, 1955, S. 455–473.
*Vinzenz Springer:* Sir Philip Sidneys »The Countess of Pembroke's Arcadia« in der deutschen Bearbeitung durch Martin Opitz. Diss. Prag 1921 (Masch.).
*Agnes Wurmb:* Die deutsche Übersetzung von Sidneys »Arcadia« (1629 und 1638) und Opitz' Verhältnis dazu. Diss. Heidelberg 1911.

*Übersetzungen aus dem Französischen*

Folgende wichtigen französischen Romane werden bis 1664 ins Deutsche übertragen:

*Georg Andreas Richter,* »Ariana«, 1644 (1708 überarbeitet von August Bohse); nach Jean Desmarets de Saint Sorlin, »Ariane«, 1632.
*Philipp von Zesen,* »Liebes-beschreibung Lysanders und Kalisten«, 1644; nach Vital d'Audiguier, »Histoire trage-comique de nostre temps sous les noms de Lysandre et de Caliste«, 1616.
*Philipp von Zesen,* »Ibrahims oder Des Durchleuchtigen Bassa Und Der Beständigen Isabellen Wunder-Geschichte«, 1645; nach Madeleine de Scudéry, »Ibrahim ou l'illustre Bassa«, 1641.
*Philipp von Zesen,* »Die Afrikanische Sofonisbe«, 1647; nach François du Soucy, Sieur de Gerzan, »L'Histoire afriquaine de Cléomède et de Sophonisbe«, 1627/28.
*Johann Wilhelm von Stubenberg,* »Clelia: Eine Römische Geschichte«, 1664; nach Madeleine de Scudéry, »Clélie, histoire romaine«, 1654–1660.

Weitere Übertragungen französischer höfisch-historischer Romane erscheinen bis zum Beginn des 18. Jh.s. Sie werden erst übersetzt, als sie in Frankreich schon aus der Mode gekommen waren und in Deutschland die Gattung des höfisch-historischen Romans schon Wurzeln gefaßt hatte. Sie geben keinen Anstoß mehr zu sprachlicher und formaler Erneuerung, sie erfüllen nur das inzwischen auch durch deutsche Eigenproduktionen geweckte Bedürfnis nach Lesestoff. Bezeichnend ist auch, daß keiner der folgenden Romane einen bedeutenden Schriftsteller als Übersetzer gefunden hat.

»Celinten und Polyanten Liebesgeschicht«, 1668, Übersetzer unbekannt; nach Madeleine de Scudéry, »Célinte, nouvelle première«, 1661.

*Ferdinand Adam Pernauer von Perney*, »Almahide«, 1682–1696; übersetzt und zu Ende geführt nach Madeleine de Scudéry, »Almahide«, 1660–1663 (unvollendet).

*Christoph Kormart*, »Statira oder Cassandra«, 1685, ²1689–1707; nach Gautier Coste de La Calprenède, »Cassandre«, 1642–1645.

*Philipp Ferdinand Pernauer von Perney*, »Des Durchleuchtigsten Pharamunds curiöse Liebes- und Helden-Geschicht«, 1688; nach Calprenède, »Pharamond ou Histoire de France«, 1661–1670.

*J. V.*, »Kleopatra«, 1700–1701; nach La Calprenède, »Cléopâtre«, 1646–1657.

Anzumerken wäre noch, daß der bekannteste Roman der Scudéry, »Artamène ou le Grand Cyrus« (1649–1653), nicht ins Deutsche übersetzt worden ist.

Über die wichtigsten der angeführten Romanübersetzungen liegen Untersuchungen vor (siehe Bibliographie). Nachweise allerdings, inwiefern die Übertragungen direkt auf die deutsche Romanproduktion eingewirkt haben, gibt es nur in Ausnahmefällen, wenngleich die generelle Abhängigkeit keiner Diskussion bedarf. Für Zesen, dem wichtigsten Vermittler der französischen Romanliteratur in der ersten Jahrhunderthälfte, sind Nachweise gelungen (vgl. van Ingen, Zesen, S. 36–37). Daß Balthasar Kindermanns »Unglückselige Nisette« (1660) Barclays »Argenis« und Desmarets' »Ariane« verpflichtet ist, weist Cohn nach (S. 142, 195 f.). Die zuerst von Lugowski (S. 372) gesehene Abhängigkeit der »Aramena« Anton Ulrichs von La Calprenèdes »Cléopâtre« wurde von Carola Paulsen bestätigt. Spahr erwähnt eine in Wolfenbüttel erhaltene handschriftliche Übersetzung von La Calprenèdes Roman aus der Feder von Sibylla Ursula, der Schwester Anton Ulrichs (S. 41 f.). Eine gedruckte Übersetzung erschien erst 1700–1701. – Zwischen einem Originalroman und einer Übertragung steht *Christoph W. Hagdorns* »Aeyquan, oder der große Mogol« (1670), der die Handlung von La Calprenèdes »Cassandre« nach Indien und China verlagert.

*Literatur:*

*R. W. Baldner:* Bibliography of Seventeenth-Century French Prose Fiction. New York 1967.

*F. H. Oppenheim:* Der Einfluß der französischen Literatur auf die deutsche. In: Deutsche Philologie im Aufriß, Bd. 3, ²1962, Sp. 1–106.

*Manfred Bircher:* Johann Wilhelm von Stubenberg (1619–1663) und sein Freundeskreis. Studien zur österreichischen Barockliteratur protestantischer Edelleute. 1968.

*Liselotte Brögelmann:* Studien zum Erzählstil im ›idealistischen‹ Roman von 1643–1733 (mit besonderer Berücksichtigung von August Bohse). Diss. Göttingen 1953 (Masch.).

*Elsa Daut:* Hans Wilhelm Herrn von Stubenbergs Clelia-Roman und sein Vorbild. Diss. Graz 1933 (Masch.).

*Hermann Fischer:* Der Intellektualwortschatz im Deutschen und Französischen des 17. Jh.s untersucht an Gerzans und Zesens »Sofonisbe«. Diss. Münster 1938.

*Ferdinand van Ingen:* Philipp von Zesen. 1970 (M 96).

*Klaus Kaczerowsky:* Bürgerliche Romankunst im Zeitalter des Barock. Philipp von Zesens »Adriatische Rosemund«. 1969.

*Hans Körnchen:* Zesens Romane. Ein Beitrag zur Geschichte des Romans im 17. Jh. 1912.

*Volker Meid / Ingeborg Springer-Strand:* De Gerzan-Zesens »Afrikanische Sofonisbe« als Beispiel: Zur Funktion der Geschichte im höfisch-historischen Roman. In: Daphnis. Zeitschrift für Mittlere Deutsche Literatur 2, 1973, S. 196–201.

*Carola Paulsen:* ›Die Durchleuchtigste Syrerin »Aramena« des Herzogs Anton Ulrich von Braunschweig und »La Cléopâtre« des Gautier Coste de la Calprenède. Ein Vergleich. Diss. Bonn 1956 (Masch.).

*Thomas Rausch:* Johann Wilhelm von Stubenberg (1619–1663). Versuch einer Monographie. Diss. Wien 1950 (Masch.).

*Heinrich Reinacher:* Studien zur Übersetzungstechnik im deutschen Literaturbarock: Madeleine de Scudéry-Philipp von Zesen. Diss. Freiburg/Schweiz 1937.

*Anna M. Schnelle:* Die Staatsauffassung in Anton Ulrichs »Aramena« im Hinblick auf La Calprenèdes »Cléopâtre«. 1939.

*Hans Will:* Zesen – Scudéry. Eine Parallele. In: Archiv f. d. Studium der neueren Sprachen und Literaturen 80, Bd. 148, NS 48, 1925, S. 12–17.

*Cohn; Lugowski* (wie S. 8); *Spahr:* Anton Ulrich.

### *Übertragungen aus dem Italienischen*

Nach dem Versiegen der Amadís-Serie kommen die Ritterromane aus Italien. Als Vermittler ist besonders *Johann Wilhelm von Stubenberg* hervorzuheben. Welche Bedeutung diesen phantasie- und abenteuerreichen Romanen im Rahmen der deutschen Literaturentwicklung zukommt, ist kaum erforscht. Neben dem ausgesprochenen Ritterroman werden auch andere Formen des höfisch-historischen Romans übersetzt: *Loredanos* Imitation der »Argenis«, die »Dianea«, *Pallavicinos* biblischer »Sansone«, der einen gewissen Einfluß auf *Zesens* »Simson« (1679) ausgeübt hat. Die Mehrzahl der anschließend angeführten Übersetzungen ist jedoch dem Ritterroman zuzurechnen.

*Diederich von dem Werder*, »Dianea«, 1644; nach Giovanni Francesco Loredano, »La Dianea«, 1635.
*Johann Helwig*, »Ormund«, 1648; nach Francesco Pona, »L'Ormondo«, 1635.
*Johann Wilhelm von Stubenberg*, »Eromena«, 1650–1652; nach Giovanni Francesco Biondi, »La Eromena«, 1624–32. – (Als Manuskript erhalten ist die um 1646/47 entstandene Übersetzung dieses Romans durch Christian Hofmann von Hofmannswaldau [Rotermund, S. 17, S. 53]).
*Johann Wilhelm von Stubenberg*, »Wettstreit Der Verzweifelten«, 1651; nach Giovanni Ambrogio Marini, »Le Gare de' disperati«, 1644.
*Johann Wilhelm von Stubenberg*, »König Demetrius«, 1653; nach Luca Assarino, »Il Demetrio«, 1643.
*Johann Wilhelm von Stubenberg*, »Printz Kalloandro«, 1656; nach Giovanni Ambrogio Marini, »Il Calloandro«, 1640–41.
*Johann Wilhelm von Stubenberg*, »Geteutschter Samson«, 1657; nach Ferrante Pallavicino, »Il Sansone«, 1638.
*Johanna Laurentia von Adlersheim*, »Verteutschte Stratonica«, 1666; nach Luca Assarino, »La Stratonica«, 1635.
»Die Taliclea«, 1668; nach Ferrante Pallavicino, »La Taliclea«, 1636.

Obwohl die Übersetzung ausländischer Romane als dichterische Schulung und patriotische Tat von deutschen Dichtern und Poetikern der ersten Hälfte des 17. Jh.s gefordert und durchaus als wertvolle dichterische Leistung anerkannt wird, läßt eine Gegenbewegung, aus der schließlich der eigenständige deutsche Barockroman hervorgeht, nicht lange auf sich warten. So entsteht der erste deutsche Kunstroman des 17. Jh.s, *Philipp von Zesens* »Adriatische Rosemund« (1645), in betonter Opposition zu italienischen und spanischen Liebesgeschichten (vgl. die Vorrede zum Roman). Auch der Verfasser des ersten deutschen höfisch-historischen Romans, *Andreas Heinrich Bucholtz*, ist hier zu nennen, dessen »Herkules« (1659/60) sich nicht nur gegen den »Amadís« wendet, sondern auch die Romane von Barclay, Sidney und Desmarets im Sinn christlicher Erbauung zu »verbessern« sucht.

*Literatur:*

*Albert N. Manicini:* Il romanzo nel Seicento. Saggio di bibliografia. In: Studi Secenteschi 11, 1970, S. 205–274 und 12, 1971, S. 443–498.
*Hellmuth Petriconi / Walter Pabst:* Einwirkungen der italienischen auf die deutsche Literatur. In: Deutsche Philologie im Aufriß, Bd. 3, [2]1962, Sp. 107–146.

*Willi Beyersdorff:* Studien zu Philipp von Zesens biblischen Romanen »Assenat« und »Simson«. 1928.
*Gerhard Dünnhaupt:* Diederich von dem Werder oder Georg Philipp Harsdörffer? Zur Klärung der umstrittenen Autorschaft der »Dianea« von 1644. In: GRM NF 23, 1973, S. 115–118.
*Ludwig Gauby:* Der »Geteutschte Samson« Hans Wilhelms Herrn von Stubenberg und »Il Sansone« des Ferrante Pallavicini. Eine Studie zur Übersetzungstechnik des 17. Jh.s. In: 56. Jahresbericht der I. Bundes-Realschule in Graz, 1927/1928.
*Erwin Rotermund:* Christian Hofmann von Hofmannswaldau. 1963 (M 29).
*Bircher* (wie S. 17); *Daut* (wie S. 17); *Körnchen* (wie S. 17); *Rausch* (wie S. 17).

## *II. Der Schäferroman*

Erst durch die Beimischung von Elementen des Ritterromans zu den mehr lyrisch gestimmten Schäferdichtungen der italienischen Renaissance (Boccaccio, Sannazaro) entstehen mit epischer Handlung erfüllte Schäferromane (*Montemayor-Pérez-Gil Polo,* »Diana« I-III, 1559–1564; *Nicolas de Montreux,* »Les Bergeries de Juliette«, 1585–1598). Ihren Höhepunkt erreicht die Gattung mit *Honoré d'Urfés* »Astrée« (1607–1627), in der sich das Schäferwesen, die Form des griechischen Romans und eine verfeinerte Psychologie der Liebe vereinigen. In *Sidneys* »Arcadia« (1590 bzw. 1593), häufig unter die Schäferromane gezählt, überwiegt im Gegensatz zu Montemayor und den anderen Romanen das ritterliche Element (vgl. Hirsch, S. 115).

In der ersten Hälfte des 17 Jh.s werden übersetzt:

*F. C. V[on] B[orstel?],* »Die Schäffereyen Von der schönen Juliana«, 1615; nach Nicolas de Montreux, »Les Bergeries de Juliette«, 1585–1598.
*Hans Ludwig von Kuffstein,* »Diana« I und II, 1619; nach Jorge de Montemayor und Alonso Pérez, »Diana« I und II, 1559 und 1564.
*Kaspar von Barth,* »Diana« III, 1626 (Übertragung ins Neulateinische); nach Gaspar Gil Polo, »Diana Enamorada« (= Diana III), 1564.
*Georg Philipp Harsdörffer,* »Diana« I-III, 1646 (Neubearbeitung der Übersetzung Kuffsteins und Neuübertragung des dritten Buches nach K. v. Barth).
*J. B. B. V[on] B[orstel?],* »Von der Lieb Astreae vnd Celadonis«, Teil 1-4, 1619–1635; nach Honoré d'Urfé, »Astrée«, 1607–1627.
*Philip Sidney,* »Arcadia« (s. S. 13ff.).

In der Geschichte des höfischen Barockromans in Deutschland setzt sich der durch *Sidney* und vor allem *Barclay* repräsentierte

Romantyp durch. Eigenständige höfische Schäferromane entstehen nicht in Deutschland. Sonderentwicklungen setzen ein, die dem Schäferroman eine andere Gestalt und eine andere soziologische Fundierung geben (s. S. 67ff.). Der aristokratische Schäferroman in der Art *Montemayors* und *d'Urfés* hinterläßt seine Spuren in Schäfereinlagen des höfisch-historischen Romans (z. B. in Anton Ulrichs »Mesopotamischer Schäferei«, dem 5. Band der »Aramena«) und prägt das Menschenbild in einigen deutschen Schäferromanen (Heetfeld). Die Untersuchung von Hoffmeister bestätigt jedoch am Beispiel der »Diana« den Umstand, daß die Wirkung des ›hohen‹ Schäferromans sehr begrenzt ist (S. 167ff.).

*Literatur:*

*Ernst Günter Carnap:* Das Schäferwesen in der deutschen Literatur des 17. Jh.s und die Hirtendichtung Europas. Diss. Frankfurt a. M. 1939.

*Klaus Garber:* Forschungen zur deutschen Schäfer- und Landlebendichtung des 17. und 18. Jh.s. In: Jb. für Internationale Germanistik 3, 1971, S. 226–242.

*Gerhart Hoffmeister:* Die spanische »Diana« in Deutschland. Vergleichende Untersuchungen zu Stilwandel und Weltbild des Schäferromans im 17. Jh. 1972.

*Ders.:* Courtly Decorum: Kuffstein and the Spanish »Diana«. In: Comparative Literature Studies 8, 1971, S. 214–223.

*Gerda Lederer:* Studien zur Stoff- und Motivgeschichte der Schäferdichtung des Barockzeitalters. Diss. Wien 1970 (Masch.).

*Hirsch; Meyer* (wie S. 8).

## *III. Der Picaroroman*

Zahlreiche Werke der spanischen Literatur werden im Verlauf des 17. Jh.s ins Deutsche übertragen. Neben moralphilosophischen Schriften (vgl. die Guevara-Bibliographie von Schweitzer), Schäfer- und Liebesromanen erscheinen auch die bedeutendsten spanischen Picaroromane in deutschen Übersetzungen.

*Literatur:*

*Werner Beck:* Die Anfänge des deutschen Schelmenromans. Studien zur frühbarocken Erzählung. Zürich 1957.

*Arturo Farinelli:* Die Beziehungen zwischen Spanien und Deutschland in der Litteratur der beiden Länder. I. Teil bis zum 18. Jh. Diss. Zürich 1892.

*Helmut Heidenreich* (Hrsg.): Pikarische Welt. Schriften zum europäischen Schelmenroman. 1969 (mit ausführlicher Bibliographie).
*Hubert Rausse:* Zur Geschichte des Spanischen Schelmenromans in Deutschland. 1908.
*Hans Gerd Rötzer:* Picaro – Landtstörtzer – Simplicius. Studien zum niederen Roman in Spanien und Deutschland. 1972.
*Adam Schneider:* Spaniens Anteil an der Deutschen Litteratur des 16. und 17. Jh.s. 1898.
*Edmund Schramm:* Die Einwirkung der spanischen Literatur auf die deutsche. In: Deutsche Philologie im Aufriß, Bd. 3, ²1962, Sp. 147–200.
*Albert Schultheiß:* Der Schelmenroman der Spanier und seine Nachbildungen. 1893.
*Christoph E. Schweitzer:* Spanien in der deutschen Literatur des 17. Jh.s. Diss. Yale Univ. 1954 (Masch.).
*Ders.:* Antonio de Guevara in Deutschland. Eine kritische Bibliographie. In: Romanistisches Jahrbuch 11, 1960, S. 328–375.
*Julius Schwering:* Litterarische Beziehungen zwischen Spanien und Deutschland. Eine Streitschrift gegen Dr. Arturo Farinelli. 1902.
*Hermann Tiemann:* Das spanische Schrifttum in Deutschland von der Renaissance bis zur Romantik. Eine Vortragsreihe. 1936, Reprint 1971.

### *»Lazarillo de Tormes« (1554)*

Die erste deutsche Übertragung des »Lazarillo« (1614) blieb ungedruckt (»Leben vnd Wandel Lazaril von Tormes«). Sie ist das Werk eines sprachkundigen schlesischen Humanisten (Tiemann, Nachwort, S. 121 f.) und enhält neben den sieben ursprünglichen Kapiteln des »Lazarillo« ein achtes, das dem Anfang des ebenfalls anonymen zweiten Teils des »Lazarillo« (1555) entspricht (Hespelt, S. 171). Die von Hespelt (S. 174 f.) geäußerte Vermutung, daß der Übersetzer des »Lazarillo« von 1614 mit dem Verfasser der ersten »Don Quijote«-Übertragung (1648) identisch sei, wird von Tiemann zurückgewiesen (Nachwort, S. 125 f.).

Erst die gedruckte Übersetzung von 1617 mit ihren zahlreichen Auflagen machte den »Lazarillo de Tormes« in Deutschland bekannt: »Zwo kurtzweilige / lustige / vnd lächerliche Historien Die Erste / von Lazarillo de Tormes [...]. Die ander / von Isaac Winckelfelder / vnd Jobst von der Schneid [...]. Durch Niclas Vlenhart beschriben. Gedruckt zu Augspurg [...] M.DC.XVII.« Der auf dem Titelblatt genannte *Niclas Ulenhart* ist nur der Bearbeiter der Novelle »Rinconete y Cortadillo« (1613) von Cervantes. Richard Alewyn hat den Nachweis geführt, daß die Lazarilloübersetzung nicht von Ulenhart stammen kann. Während der erste Übersetzer des »Lazarillo« eine vollständige Ausgabe des Romans als Vorlage benutzte, stützt sich der Übersetzer von 1617 auf eine der gereinigten Ausgaben: 1573 wurde dieser »Lazarillo castigado« zum erstenmal gedruckt, nachdem die Originalfassung wegen ihrer antiklerikalen Tendenz 1559 auf den Index librorum prohibitorum gesetzt worden war. Auch die Übersetzung von 1617 wertet das erste Kapitel der Fortsetzung von 1555 aus, löst sich jedoch gegen Ende von der Vorlage (vgl. Rötzer, S. 40). *Juan de Lunas* zweiter Teil des »Lazarillo« (1620), der nicht mit der Fortsetzung von 1555 zu verwechseln ist, erscheint 1653 in der deutschen Übersetzung eines gewissen *Paulus Küefuß*. José María Navarro de Adriaensens weist auf motivliche Beziehungen (Einsiedler, Mummelsee) zwischen der Fortsetzung von Luna und Grimmelshausens »Simplicissimus« hin.

Die deutschen Übertragungen mildern die sozialkritische und satirische Intention des spanischen Romans. Das Leben des Lazarillo wird in den deutschen Versionen zum Exempel »für die Instabilität des Glücks in dieser Welt, die nur durch die Absage an die Welt überwunden werden« kann (Rötzer, S. 54). Damit habe der »Lazarillo« ein Vorbild für den deutschen Schelmenroman des 17. Jh.s werden können (Rötzer, S. 36).

*Literatur:*


*Richard Alewyn:* Die ersten deutschen Übersetzer des »Don Quixote« und des »Lazarillo de Tormes«. In: ZfdPh 54, 1929, S. 203–216.

*E. Herman Hespelt:* The First German Translation of »Lazarillo de Tormes«. In: Hispanic Review 4, 1936, S. 170–175.

*José María Navarro de Adriaensens:* La continuación del »Lazarillo«, de Luna y la aventura del Lago Mummel en el »Simplicissimus«. In: Romanistisches Jahrbuch 12, 1961, S. 242–247.

*Hans Schneider:* La primera traducción alemana del »Lazarillo de Tormes«. In: Clavileño 4, 1953, Núm 22, S. 56–58.

*Reiner Schulze van Loon:* Niclas Ulenharts »Historia«. Beiträge zur deutschen Rezeption der Novela picaresca und zur Frühgeschichte des barokken Prosastils. Diss. Hamburg 1956 (Masch.).

*Hermann Tiemann:* Nachwort zu »Leben vnd Wandel Lazaril von Tormes«. 1951 (s. S. 5).

*Beck* (wie S. 20); *Rausse; Rötzer.*


## *Mateo Alemán, »Guzmán de Alfarache« (1599/1605)*

Die deutsche Bearbeitung von *Aegidius Albertinus* erschien 1615 in München (»Der Landstörtzer: Gusman von Alfarche oder Picaro genannt«). Sie umfaßt zwei Teile: im ersten erzählt Albertinus die

Biographie des Picaro, nur von wenigen reflektierenden Partien unterbrochen; der zweite Teil ist allegorisch und zeigt den geläuterten Sünder. Ein geplanter dritter Teil sollte eine ebenfalls allegorisch zu verstehende Wallfahrt zum (himmlischen) Jerusalem bringen. Diesen dritten Teil legte nach dem Tod von Albertinus *Martin Frewdenhold* 1626 vor.

Das Verhältnis der deutschen Fassungen zu den spanischen Vorlagen ist recht kompliziert. Es handelt sich beim deutschen »Guzmán« um eine über weite Strecken von den spanischen Vorlagen unabhängige Bearbeitung. Nur für den ersten Teil hat Albertinus spanische Vorlagen benutzt: den ersten Teil des »Guzmán« von *Alemán* (1599) und den apokryphen zweiten Teil von *Juan Martí* (1602), nicht dagegen den echten zweiten Teil, den Alemán 1605 veröffentlichte. Der zweite Teil des deutschen »Guzmán« ist eine originale Arbeit von Albertinus. Auch für den dritten Teil von Frewdenhold gibt es keine spanische Vorlage; Alemán hat den von ihm angekündigten dritten Teil des Romans nicht veröffentlicht. Frewdenholds Fortsetzung hat man als »Abstieg von der geistlich-allegorischen Ebene des zweiten Teils auf die eines profan-realistischen Reiseberichts« bezeichnet (Beck, S. 106), für die Rausse die Quellen nachgewiesen hat (Rausse, 1908, S. 31 ff.). Wie seine anderen Schriften versteht Albertinus auch die »Guzmán«-Bearbeitung als einen Beitrag zur Gegenreformation. Er stellt seinen Helden als Beispiel für ein überindividuelles Heilsgeschehen dar und beschreibt, wie man die Welt, den Ort der Sünde, durch gute Werke und ein tugendhaftes Leben überwinden kann. Die Frage, ob damit die Intention des spanischen Originals verfälscht wird, ist unterschiedlich beantwortet worden. Während Rötzer davon spricht, daß Albertinus die »sozialen Implikationen« des »Guzmán« zugunsten orthodoxer katholischer Lehre unberücksichtigt lasse (S. 112), sieht Parker in Albertinus den konsequenten Fortsetzer Alemáns. Diese Differenzen ergeben sich aus unterschiedlichen Interpretationen des spanischen Romans. So stellen für Rötzer, der Auffassungen von Américo Castro und Marcel Bataillon radikalisiert, die Schelmenromane und damit auch der »Guzmán« »die verzweifelte Anklage einer rassischen Minorität gegen die herrschende Gesellschaft« dar (S. X), während andere Interpreten im »Guzmán« »ein Werk der religiösen Unterweisung« sehen (Báez, S. 189), das die Forderungen der Gegenreformation erfülle (Parker, S. 22; zu dieser Diskussion vgl. auch Heidenreich, S. XIV f., und H. Baader, Bd. 2, Nachwort, S. 599 f.).

Obwohl als Kunstwerk von zweifelhaftem Wert, nimmt das Werk von Albertinus in der Geschichte des Picaroromans in Deutschland eine wichtige Stellung durch seine Wirkung auf Grimmelshausens »Simplicissimus« ein. Diese Wirkung zeigt sich sowohl in philologisch nachweisbaren Details als auch in Parallelen, die die Gesamtkonzeption des Romans betreffen (vgl. Rötzer, S. 128 ff.; Parker, S. 80).

*Literatur:*


*Horst Baader:* Nachwort zu: Spanische Schelmenromane, hrsg. v. H. Baader, 2 Bde., 1965, Bd. 2, S. 570–631.

*Enrique Moreno Báez:* Enthält der »Guzmán de Alfarache« eine didaktische Aussage? In: Pikarische Welt, S. 165–191.

*Arthur Bechtold:* Zur Quellengeschichte des »Simplicissimus«. In: Simplicissimusdichter, S. 291–298.

*Eberhard Dünninger:* Aegidius Albertinus. In: Bayerische Literaturgeschichte in ausgewählten Beispielen, hrsg. von E. Dünninger und D. Kiesselbach. Bd. 2, 1967, S. 57–68.

*Helmut Heidenreich:* Einleitung zu »Pikarische Welt«, S. IX–XVII.

*Alexander A. Parker:* Literature and the Delinquent. The Picaresque Novel in Spain and Europe 1599–1753. Edinburgh 1967.

*Rudolf von Payer:* Eine Quelle des »Simplicissimus« In: Simplicissimusdichter, S. 282-290.

*Hubert Rausse:* La novela picaresca und die Gegenreformation. In: Euphorion, Ergänzungsheft 8, 1909, S. 6–10.

*Karl von Reinhardstöttner:* Aegidius Albertinus, der Vater des deutschen Schelmenromans. In: Jahrbuch für Münchener Geschichte 1888, S. 13–86.

*Beck* (wie S. 20); *Rausse; Rötzer.*


## *Miguel de Cervantes, »Don Quijote« (1605/1615)*

Der erste Übersetzer des »Don Quijote« verstand den Roman als eine Art Schwankbuch. Das erklärt die Einreihung unter die Schelmenromane. Die älteste Übertragung des Romans erschien 1648 unter dem Titel »Don Kichote de la Mantzscha, Das ist: Juncker Harnisch auß Fleckenland«. Diese Übersetzung besteht aus 22 Kapiteln, die nicht genau mit der Kapiteleinteilung des spanischen Originals korrespondieren. Kapitel 6 bei Cervantes ist z. B. in der dt. Übersetzung in zwei Kapitel aufgeteilt, andere Kapitel fehlen. Das letzte, 22. Kapitel der dt. Übersetzung entspricht dem Beginn des 23. Kapitels bei Cervantes. Vollständiger ist die anonyme »Don Quijote«-Übertragung, die nach einer französischen Version 1683 erschien: »Don Qvixote Von Mancha, Abenthewerliche Geschichte«.

Sowohl die Verfasserfrage als auch die Frage des ersten Erscheinens der Übersetzung von »Pahsch Bastel« – so nennt sich der Übersetzer – war lange Gegenstand von Forschungskontroversen. In den Jahren 1621, 1624, 1644 und 1647 in Meßkatalogen angekündigte Ausgaben einer »Don Quijote«-Übersetzung sind wahrscheinlich nicht erschienen, es sei denn, man faßt sie als Ankündigungen der 1648 erschienenen Version an, die nach dieser Theorie Tiemanns seit 1621 als Manuskript wenigstens teilweise vorgelegen haben muß (Tiemann, 1933, S. 232ff.). Jedenfalls ist ein Erscheinen vor 1648 unwahrscheinlich, sonst wären die Bemühungen *Moscheroschs* und der Fruchtbringenden Gesellschaft um eine Übersetzung des Romans unverständlich. *Hans Ludwig Knoche* arbeitete nachweislich um das Jahr 1639 an einer Übertragung. Tiemanns ursprüngliche These, in seinem Nachwort zum Neudruck, bestand denn auch darin, daß dieser Knoche als der Verfasser der gedruckten deutschen Übersetzung zu betrachten sei. Nachdem diese These von Alewyn u. a. abgelehnt worden war, kam Tiemann nach neuen Untersuchungen und Stilvergleichen zu dem heute fast allgemein akzeptierten Schluß, daß als Verfasser der »Don Quijote«-Übersetzung *Joachim Caesar* (*Aeschacius Major*) aus Halle angenommen werden müsse, der auch als Übersetzer anderer Werke bekannt ist. Tiemann stellt gegen Alewyn fest, daß die stark übereinstimmenden Titel der Meßkatalogeintragungen von 1621 an nicht die Existenz von Drukken bewiesen, sondern »daß die Meldungen an die Meßkataloge auf Grund eines Entwurfes oder *Manuskriptes* ein und desselben Autors vom Verleger eingereicht wurden« (Tiemann, 1933, S. 244). Überdies schließt Tiemann aus den Meßkatalogeintragungen, daß zwischen 1624 und 1644 das ursprüngliche Manuskript umgearbeitet worden sei (S. 245). Tiemanns Schlußfolgerungen werden von J. J. A. Bertrand bestritten, der darauf hinweist, daß der Stilvergleich zwischen anderen Arbeiten Joachim Caesars und der »Don Quijote«-Übertragung keine ausreichenden Beweise für die Verfasserschaft Caesars bringe. Er stellt vielmehr fest, daß H. L. Knoche der einzige Schriftsteller sei, von dem wir sicher wüßten, das er einen Teil des »Don Quijote« in den Jahren 1639/40 übersetzt habe.

Obwohl es Hinweise darauf gibt, daß Cervantes' Roman schon 1613 in Deutschland bekannt war (vgl. Berger, S. 9; Schweitzer, S. 89) und Bemühungen der Fruchtbringenden Gesellschaft um eine Übersetzung früh einsetzen, erscheint der Roman erst 1648 in deutscher Sprache in einer unvollständigen, verstümmelten Fassung. Seine mannigfachen Eingriffe und Kürzungen begründet der Übersetzer in seiner Vorrede damit, daß ja »des Narrwercks einsten ein Ende gemacht werden muß« (S. 12). *Harsdörffer* verrät ein besseres

Verständnis des Romans, wenn er ihn nicht mehr als Satire auf großsprecherische Ritter auffaßt, sondern in ihm eine Literatursatire sieht, die auf bestimmte Ritter- und Schäferromane zielt. Harsdörffer erwähnt den Roman im Zusammenhang mit einer Nachahmung, Charles Sorels »Le berger extravagant« (1627/28), im siebten Band seiner »Gesprächspiele« (1647, S. 139f.; vgl. Schweitzer, S. 90).

*Literatur:*


*Richard Alewyn:* Die ersten deutschen Übersetzer des »Don Quixote« und des »Lazarillo de Tormes«. In: ZfdPh 54, 1929, S. 203–216.
*Tjard W. Berger:* »Don Quixote« in Deutschland und sein Einfluß auf den deutschen Roman (1613–1800). Diss. Heidelberg 1908.
*J. J. A. Bertrand:* La primera traducción alemana del »Quijote«. In: Revista de Filología Española 32, 1948, S. 475–486.
*Werner Brüggemann:* Cervantes und die Figur des Don Quijote in Kunstanschauung und Dichtung der deutschen Romantik. 1958.
*Edmund Dorer:* Cervantes und seine Werke nach deutschen Urteilen. 1881.
*Christian F. Melz:* An Evaluation of the Earliest German Translation of »Don Quixote«: »Juncker Harnisch aus Fleckenland«. In: Univ. of California Publications in Modern Phil., vol. 27, no. 5, S. 301–342. Berkeley, Los Angeles 1945.
*Hubert Rausse:* Die ersten deutschen Übertragungen von Cervantes »Novelas ejemplares«. In: Studien zur vergleichenden Literaturgeschichte 9, 1909, S. 385–405.
*Christoph E. Schweitzer:* Harsdörffer and »Don Quixote«. In: Philological Quarterly 37, 1958, S. 87–94.
*Julius Schwering:* Cervantes »Don Quijote« und der Kampf gegen den Roman in Deutschland. In: Euphorion 29, 1928, S. 497–503.
*Hermann Tiemann:* Der deutsche »Don Kichote« von 1648 und der Übersetzer Aeschacius Major. In: ZfdPh 58, 1933, S. 232–265.
*Ders.:* Nachwort zu »Don Kichote de la Mantzscha« (s. S. 4).
*Günther Weydt:* Don Quijote Teutsch. Studien zur Herkunft des simplicianischen Jupiter. In: Euphorion 51, 1957, S. 250–270.


## *Übersetzungen weiterer Schelmenromane aus dem Spanischen*

Die folgenden Verdeutschungen spanischer Picaroromane können sich nicht an Bedeutung mit dem Werk von Albertinus und den Lazarilloübersetzungen messen. Die 1605 erschienene »Pícara Justina« von *Francisco López de Úbeda* wird 1620 nach einer italienischen Fassung von einem unbekannten Übersetzer unter dem Titel: »Die Landtstörtzerin Justina Dietzin Picara genandt« ins Deutsche übertragen (2. Teil 1627). In *Grimmelshausens* »Lebens-beschreibung Der Ertzbetrügerin und Landstörtzerin Courasche« erhält die Gestalt der Picara ihre deutsche Verkörperung. Die »Historia de la vida del Buscón« (1626; entstanden um 1603/04) von *Francisco Gómez de Quevedo Villegas* wird als letzter der spanischen Schelmenromane nach der französischen Bearbeitung des Sieur de la Geneste erst 1671 ins Deutsche übersetzt (»Der Abentheurliche Buscon, Eine Kurtzweilige Geschicht«). Eine zweite Übersetzung erscheint 1704. – Zu den Quellen Grimmelshausens zählen auch Moscheroschs »Gesichte Philanders von Sittewalt« (1640 ff.), die nach Quevedos »Sueños«, ebenfalls in der französischen Übertragung des Sieur de la Geneste, entstanden sind.

*Literatur:*

*Marcel Bataillon:* »La Picaresca«. Gedanken zu López de Úbedas »La Pícara Justina«. In: Pikarische Welt, S. 412–437.
*Jonas Andries van Praag:* Die Schelmin in der spanischen Literatur. In: Pikarische Welt, S. 147–164.
*Dieter Reichardt:* Von Quevedos »Buscón« zum deutschen »Avanturier«. 1970.
*Ulrich Stadler:* Parodistisches in der »Justina Dietzin Picara«. Über die Entstehungsbedingungen und zur Wirkungsgeschichte von Úbedas Schelmenroman in Deutschland. In: Arcadia 7, 1972, S. 158–170.
*Rausse.*

## *Charles Sorel, »Histoire comique de Francion« (1623)*

Der französische roman comique (*Sorel, Scarron, Furetière*) bildet neben dem spanischen Picaroroman die zweite Hauptgruppe des niederen Romans im 17. Jh. Beide Formen des niederen Romans wirken – in ihren deutschen Bearbeitungen – auf die deutsche Literatur des 17. Jh.s. Neben der Nacherzählung von Sorels »Le berger extravagant« (1627/28) im siebten Band von Harsdörffers »Gesprächspielen« (1647, S. 139–165) ist allerdings nur Sorels »Histoire comique de Francion« (1623) in dieser Zeit ins Deutsche übertragen worden. Zwei verschiedene Übersetzungen erschienen kurz hintereinander, beide anonym: »Warhafftige vnd lustige Histori / Von dem Leben des Francion« 1662, und »Vollkommene comische Historie des Francions« 1668. *Grimmelshausen* benutzte nachweislich die Übersetzung von 1662 (Koschlig, S. 43). Es bestehen nicht nur stoffliche Beziehungen zwischen dem »Simplicissimus« und dem »Francion«, wichtiger sind die Wirkungen auf Grimmelshausens Stil und Erzähltechnik (Koschlig, S. 57 ff.). W. E.

Schäfer erkennt schon in Grimmelshausens Josephsroman (1666) die Wirkungen des Sorelschen Erzählstils (S. 62 ff.). Nach Koschlig hat die »Bekanntschaft Grimmelshausens mit dem ›Francion‹ die Selbstfindung des Erzählers gegenüber dem Moralisten gefördert, wenn nicht überhaupt erst ermöglicht« (S. 72). Andererseits kann man die Bedeutung des spanischen Schelmenromans für Grimmelshausens »Simplicissimus« nicht so gering ansetzen wie Koschlig, auch wenn Grimmelshausen nur die deutschen Bearbeitungen kannte. Es kann kein Zweifel daran bestehen, daß Grimmelshausen dem Schelmenroman »die – freilich durch ihn höchst verfeinerte, jene fiktiv-autobiographische Atmosphäre schaffende – Technik der Ich-Erzählung« verdankt (Weydt, Grimmelshausen, S. 51). Daß jedoch in Deutschland die Zeit noch nicht für einen vollkommen ironischen Erzähler, Cervantes, und einen vollkommen unironischen Helden, Don Quijote, gekommen war, beweist Grimmelshausens Beibehaltung des Ich-Erzählers des picaresken Romans ebenso wie die unbefriedigende Cervantesrezeption im 17. Jh. Wandlungen sieht Voßkamp erst bei Beer und Weise (S. 42). Inwiefern ein Einfluß von Sorels »Francion« auf *Johann Beer* vorliegt, bleibt noch zu untersuchen. Er kannte jedenfalls die Übertragung von 1668 (Koschlig, S. 68).

Mit der novela picaresca und dem roman comique sind die beiden strukturell wichtigsten Traditionen hinter *Grimmelshausens* »Simplicissimus« genannt. Daß darüber hinaus die Literaturkenntnis Grimmelshausens beträchtlich war und sowohl ältere als zeitgenössische Literatur umfaßt, haben zahlreiche Quellenuntersuchungen erwiesen. Eine Zusammenfassung mit Literaturangaben findet sich bei Weydt (Grimmelshausen, S. 51 ff.; vgl. auch: Nachahmung und Schöpfung, S. 47 ff., 191 ff., 393 ff.).

*Literatur:*

*Manfred Koschlig:* Das Lob des »Francion« bei Grimmelshausen. In: Jb. der dt. Schillergesellschaft 1, 1957, S. 30–73.

*Bodo Morawe:* Der Erzähler in den ›Romans Comiques‹. In: Neophilologus 47, 1963, S. 187–197.

*Walter Ernst Schäfer:* Die sogenannten ›heroisch-galanten‹ Romane Grimmelshausens. Untersuchungen zur antihöfischen Richtung im Werk des Dichters. Diss. Bonn 1957 (Masch.).

*Günther Weydt:* Nachahmung und Schöpfung im Barock. Studien um Grimmelshausen. 1968.

*Voßkamp; Weydt:* Grimmelshausen.

Aus dem Englischen werden die ersten beiden Teile von *Richard Heads* »The English Rogue« (1665–1680, 4 Teile) übertragen. Sie erscheinen 1672 als »Simplicianischer Jan Perus« unter dem irreführenden Titel einer Simpliziade.

Drei Romane werden aus dem Niederländischen übersetzt (bibliographische Angaben bei Hirsch, S. 134 f., der auch – soweit ermittelbar – die Vorlagen mitteilt):

»Der Ruchlose Student«, 1681.

»Das Verderbte Kind oder Vorstellung eines in allen Lastern und Untugenden ersoffenen... Menschen«, 1687 (nach der frz. Übersetzung).

»Die Verblendete Jungfrau, Oder Arglistigkeit Deß Frauenzimmers«, 1690.

Nachweisbar hat der »Simplicianische Jan Perus« auf einen deutschen Roman eingewirkt, nämlich auf »Deß Frantzösischen Kriegs-Simplicissimi Hochverwunderliche[n] Lebens-Lauff« (1682/83), eine der wenigen echten Nachahmungen von Grimmelshausens Simplicissimusgestalt (vgl. Hirsch, S. 9 ff). Ein Einfluß auf die Gestaltung des Kaufmannsmilieus im zweiten Teil von Grimmelshausens »Vogelnest« (1675) läßt sich nur vermuten (Hirsch, S. 7).

*Literatur:*

*Richard Alewyn:* Felssecker und Fillion. Zur Verlegerfrage bei Grimmelshausen. In: Zs. f. Bücherfreunde NF 19, 1927, S. 38–40 (zum »Kriegs-Simplicissimus«).

*Joseph Vles:* Le roman picaresque hollandais des XVII$^{e}$ et XVIII$^{e}$ siècles et ses modèles espagnols et français. Diss. Amsterdam 1926.

*Hirsch.*

## C. Romantheorie

### *I. Einleitung*

Obwohl *Max Ludwig Wolff* schon 1915 eine für den damaligen Forschungsstand beachtliche, wenn auch keineswegs erschöpfende Darstellung der Geschichte der Romantheorie bis Gottsched vorgelegt hatte, blieb die Romantheorie vor Blanckenburg ein Stiefkind der deutschen Literaturwissenschaft. *Martin Sommerfeld* schrieb 1926, daß »die Theorie des Romans [...] – von einer Ausnahme abgesehen (Blankenburg) – eigentlich bis zur Höhe der Klassik nur eine unterirdische Geschichte gehabt« habe (S. 5). Die Forschungslage hat sich erst in den letzten Jahren zum besseren gewendet. Wesentliche Texte wurden durch Neudrucke und in Anthologien zugänglich gemacht und durch wissenschaftliche Darstellungen der

Poetik des barocken Romans ergänzt (*Lindhorst, Hillebrand, Voßkamp*).

Trotz der Erörterung der Romanzi durch die italienischen Theoretiker der Renaissance und *Julius Caesar Scaligers* Erwähnung der spätantiken »Aithiopica« von *Heliodor* als Muster epischer Dichtung (»Poetices libri septem«, 1561, Sp. 144a), bleibt dem Roman zunächst ein Platz in den deutschen Poetiken des 17. Jh.s versagt, will man nicht mit Wolff (S. 56) u. a. *Opitz'* Charakterisierung des »Heroisch[en] getícht[s]« in seinem »Buch von der Deutschen Poeterey« (1624; Kap. 5) auf den Roman beziehen. Erst 1679 fügt *Sigmund von Birken* den Roman in das System seiner Poetik ein (»Teutsche Rede- bind- und Dicht-Kunst«, 11. Kap.). Eine für Weitsicht sprechende Ankündigung *Philipp von Zesens* in seinem »Helikon« (Ausgabe von 1656, Teil 1, S. 271), daß er die »Wundergedichte (welche die Franzosen und Spanier Romans nennen)«, und andere bisher von ihm nicht berücksichtigte Gattungen »in sonderlichen büchern« abhandeln werde, wurde nicht verwirklicht.

Bei diesem Sachverhalt fällt bis zum letzten Viertel des 17. Jh.s den Romanvorreden und theoretischen Passagen innerhalb einiger Romane eine entscheidende Rolle zu. Erst im Gefolge von *Huets* »Traité de l'origine des romans« (1670, dt. und lat. 1682) entstehen auch in Deutschland selbständige Abhandlungen über den Roman. Neben den Vorreden erweist sich auch die zwanglose, unsystematische Form des Gesprächs als besonders zugänglich für die Erörterung romantheoretischer Probleme (Harsdörffer, Rist, später Thomasius, u. a.). Erst gegen Ende des Jahrhunderts erlangen Romanrezensionen Bedeutung (Thomasius).

Die überwiegende Zahl der Zeugnisse bezieht sich auf den höfisch-historischen Roman, während Schäferroman und ›niederer‹ Roman als die beiden anderen Hauptgattungen des Romans im 17. Jh. weniger reichlich bedacht werden. Auch die Utopie wird kaum erwähnt, sieht man von *Thomasius'* Rezension des damals populärsten utopischen Romans ab, der »Histoire des Sévarambes« (1677, dt. 1689) von *Denis de Vairas(se)* (Monatsgespräche 1689, S. 949 ff.). Mit den umfassenden Bibliographien romantheoretischer Quellentexte bei *Voßkamp* (S. 266 ff.) und *Lämmert* (S. 367 ff.) ist jetzt die Grundlage für weitere Forschungen auf diesem Gebiet gelegt.

*Texte:*

*Dieter Kimpel / Conrad Wiedemann* (Hrsg.): Theorie und Technik des Romans im 17. und 18. Jh. Bd. 1: Barock und Aufklärung. 1970.

*Eberhard Lämmert*, u. a. (Hrsg.): Romantheorie. Dokumentation ihrer Geschichte in Deutschland 1620–1880. 1971. (Der Zeitraum von 1620 bis 1715 ist von *Fritz Wahrenburg* bearbeitet.)
*Albrecht Schöne* (Hrsg.): Das Zeitalter des Barock. Die deutsche Literatur, Texte und Zeugnisse, Bd. 3. 1963, [2]1968.
*Marian Szyrocki* (Hrsg.): Poetik des Barock. 1968.
*Ernst Weber* (Hrsg.): Texte z. Romantheorie. I: 1626–1731. München 1974.
*Gotthard Heidegger:* Mythoscopia Romantica oder Discours von den so benanten Romans. Faksimileausgabe nach dem Originaldruck von 1698, hrsg. von Walter Ernst Schäfer. 1969.
*Pierre Daniel Huet:* Traité de l'origine des romans. Faksimiledrucke nach der Erstausgabe von 1670 und der Happelschen Übersetzung von 1682. Nachwort von Hans Hinterhäuser. 1966 (M 54).
*Daniel Georg Morhof:* Unterricht von der teutschen Sprache und Poesie, hrsg. von Henning Boetius. 1969 (Nachdruck der 2. Aufl. von 1700).

*Literatur:*

*Bruno Hillebrand:* Theorie des Romans. I: Von Heliodor bis Jean Paul. 1972.
*Sigmund von Lempicki:* Geschichte der deutschen Literaturwissenschaft bis zum Ende des 18. Jh.s. 1920, [2]1968.
*Eberhard Lindhorst:* Philipp von Zesen und der Roman der Spätantike. Ein Beitrag zu Theorie und Technik des barocken Romans. Diss. Göttingen 1955 (Masch.).
*Wolfgang Lockemann:* Die Entstehung des Erzählproblems. Untersuchungen zur deutschen Dichtungstheorie im 17. und 18. Jh. 1963.
*Bruno Markwardt:* Geschichte der deutschen Poetik. Bd. 1: Barock und Frühaufklärung. 1937, [3]1964.
*Martin Sommerfeld:* Romantheorie und Romantypus der deutschen Aufklärung. In: DVjs. 4, 1926, S. 459–490. (Sonderausgabe 1967 mit eigner Seitenzählung; danach zitiert.)
*Wilhelm Voßkamp:* Romantheorie in Deutschland. Von Martin Opitz bis Friedrich von Blanckenburg. 1973.
*Max Ludwig Wolff:* Geschichte der Romantheorie mit besonderer Berücksichtigung der deutschen Verhältnisse. 1. Teil: Von den Anfängen bis gegen die Mitte des 18. Jh.s. Nürnberg 1915 (Diss. München 1911).

## *II. Deutsche Romantheorie vor der Wirkung Huets*

### *1. Rechtfertigung*

In Deutschland werden zunächst weniger romanästhetische Probleme als vielmehr allgemeine Fragen der Rechtfertigung des Romans erörtert, wobei auch die Diskussionen über Wahrheit und

Wahrscheinlichkeit, Geschichte und Erfindung apologetischen Zwecken dienen. Im Gegensatz zu dem Prosaroman des 16. Jh.s, der »Historie« sein will und wie die »wahren« Lebensbeschreibungen des picaresken Romans des 17. Jh.s einen Anspruch auf Tatsachenwahrheit erhebt (vgl. Kayser, Wahrheit, S. 10f.), gelangt der Vorredner zum ersten deutschen »Amadís«-Buch zu einer anderen Einschätzung dieses Problems: er stellt die Fiktion über die »History«, weil so der exemplarische Zweck der Dichtung besser erreicht werden könne. Mit der Einschränkung, daß es sich um »wahrscheinliche« Erfindung handeln müsse und daß eine Verbindung von Geschichte und Fiktion besonders geeignet sei, die Forderung der Wahrscheinlichkeit zu erfüllen, folgt der höfisch-historische Roman des Barock dieser Bewertung. *Harsdörffer* schließt sich in seiner Vorrede zu Stubenbergs Übersetzung von Biondis »Eromena« (1650) dieser Argumentation an und betont ohne Zögern den Vorrang des Erdichteten vor der Geschichte. Er kommt ebenfalls zu dem Ergebnis, daß die Freiheit, die die Fiktion gewähre, dem moralischen Zweck der Dichtung weit zuträglicher sei. Im ersten Band der »Frauenzimmer Gesprächspiele« (1641, $^{2}$1644, hier S. 230ff.) war ein Gespräch über dieses Thema allerdings ohne festes Ergebnis geblieben. Überlegungen dieser Art sind Gemeingut der humanistischen Poetiken des 17. Jh.s.

In einem Zeitalter, für das das Horazische »aut prodesse volunt, aut delectare poetae« uneingeschränkte Gültigkeit hat und zudem die Dichtung von der rhetorischen Wirkungsabsicht geprägt ist, kann es nicht verwundern, daß der Wirkungsabsicht gerade in Verbindung mit der Rechtfertigung des Romans ein großer Raum eingeräumt wird. Hierbei dominiert eindeutig das docere (vor dem movere), das sich vor allem auf zwei Aspekte konzentriert, einen theologischen und einen politischen. Für den politischen Aspekt sei hier nur an *Barclays* »Argenis« (1621, dt. 1626) oder an *Sigmund von Birkens* Vorrede zu Anton Ulrichs »Aramena« (1669) erinnert, in der der Roman als »Hof- und Welt-Spiegel«, als »Staats-Lehrstuhl« vorgestellt wird (Bl. XX 3$^{r}$). Die theologische Wirkungsabsicht verkörpert sich am entschiedensten in *Andreas Heinrich Bucholtz*, der den üblichen »Helden- und Liebsgeschichten« seine christliche »Wunder-Geschichte« entgegensetzt (»Des Christlichen Teutschen Groß-Fürsten Herkules Und Der Böhmischen Königlichen Fräulein Valiska Wunder-Geschichte«, 1659/60). Eine Parallelerscheinung in Frankreich sind die Romane von *Jean Pierre Camus*, dem Bischof von Belley. Auch *Philipp von Zesen*, der sich schon in der Vorrede zur »Adriatischen Rosemund« (1645) gegen die leichtfertigen spanischen und italienischen Liebesromane gewandt hatte, scheint sich in seiner »Assenat« der Forderung nach einem christlichen Roman anzuschließen. Allerdings ist seine Hinwendung zu biblischen Stoffen weniger in seinem Interesse am Religiös-Erbaulichen zu suchen, als vielmehr im poetologischen Aspekt der Verbindung von Fiktion und (biblischer) Geschichte. Er wendet sich gegen die von Heliodor ausgehenden weltlichen Liebesromane, die entweder völlig erdichtet seien oder doch Wahrscheinliches und Unwahrscheinliches in unzulässiger Weise vermischten. Dem setzt Zesen einen »heiligen«, d. h. auf die Bibel gegründeten Roman entgegen, der den Anspruch erhebt, durch vollständiges Ausschöpfen der geschichtlichen Quellen die »nakte Wahrheit dieser sachen« (S. *7$^r$) zu schildern, ohne daß jedoch die Fiktion ausgeschaltet würde. Stoffwahl und veränderte Haltung der Erfindung gegenüber erklären, daß die Frage nach der Rechtfertigung des Romans gar nicht mehr erhoben wird. Geschichte und wahrscheinliche Erfindung verbinden sich hier in einer Akzentuierung, die sich von den moralischen Geschichtsmodellen Harsdörffers, Sigmund von Birkens und anderer deutlich unterscheidet (Wahrenburg, S. 12).

### 2. *Anton Ulrich als Beispiel*

In *Sigmund von Birkens* Vorrede zu *Anton Ulrichs von Braunschweig* »Aramena« (1669) wird zum erstenmal in Deutschland »ein romantheoretisches Reflexionsniveau« erreicht (Voßkamp, S. 8). In seiner »Vor-Ansprache zum Edlen Leser« unterscheidet Birken drei Arten der »Geschichtschriften«, nämlich erstens die Geschichtsschreibung im überlieferten Sinn, zweitens die »Gedichtgeschichtschriften«, womit er das Epos meint, und drittens die »Geschichtgedichte«, die Romane. Bei den Romanen gibt es zwei Möglichkeiten: eine Verbindung von Geschichte und Fiktion wie im Epos oder den ausschließlich auf Fiktion gegründeten Roman, für den freilich ebenso das Gebot der Wahrscheinlichkeit gilt. (Zehn Jahre später, in seiner Poetik, gebraucht Birken die Begriffe »Geschichtgedicht« und »Gedichtgeschicht« im entgegengesetzten Sinn). Auch Birken betont die Überlegenheit und Nützlichkeit der wahrscheinlichen Erfindung. Im Zusammenhang damit erwähnt Voßkamp, daß bei Birken die »Gesetzmäßigkeiten einer ›wahrscheinlichen‹ Erfindung [...] von Gesetzen einer theologischen Auslegung der Geschichte« bestimmt seien (S. 13). Er verweist u. a. auf Birkens Auffassung der Geschichte als Wiederholung, als Spiel, in dem nur von Zeit zu Zeit andere Gestalten auftreten, als Exempelreihung, als Antagonismus von Gottesreich und Teufelsreich. »Das poetologische Interesse an

Geschichte ist ein Interesse an Geschichtsphilosophie bzw. Geschichtstheologie, nicht eines an Geschichte als Geschichte« (Voßkamp, S. 14).

Neben Sigmund von Birken vermitteln auch andere Zeitgenossen wichtige Einsichten in Sinn und Struktur der »Aramena« und den höfisch-historischen Barockroman im allgemeinen. *Catharina Regina von Greiffenberg* beschreibt in Briefen und in ihrem Widmungsgedicht zum dritten Band von Anton Ulrichs »Aramena« diese bewundernd als Abbild der göttlichen Weltordnung (»ein Spiegel seines Spiels«) und rühmt die Kunstfertigkeit des Dichters, der die Schicksale schön zu führen und das Lebenslabyrinth richtig zu verwirren weiß, bis die Schlußapotheose die im Verborgenen schon immer vorhanden gewesene Ordnung Gottes ans Licht bringt. Die Parallelität von Roman und Geschichte bzw. von Romanautor und Gott hat auch *Leibniz* mehrfach in Briefen an Anton Ulrich ausgedrückt, wobei er die Struktur des Romans, in diesem Fall der »Octavia«, in der Polarität von Verwicklung und »entknötung« erkennt (vgl. Voßkamp, S. 17). Leibniz würdigt und verteidigt die Romane Anton Ulrichs, weil sie *»eines* Geistes [...] mit seiner Theodizee« sind (Burger, S. 102). Auf Übereinstimmungen zwischen Leibniz' Monadologie und Theodizee und der Kombinatorik der barocken Großromane weisen Müller (Deutsche Dichtung..., S. 233) und Haslinger (S. 380–383) überzeugend hin.

*Literatur:*

*Heinz Otto Burger:* Deutsche Aufklärung im Widerspiel zu Barock und ›Neubarock‹. In: ›Dasein heißt eine Rolle spielen‹. Studien zur deutschen Literaturgeschichte. 1963, S. 94–119.

*Horst-Joachim Frank:* Catharina Regina von Greiffenberg. Leben und Welt der barocken Dichterin. 1967 (S. 133–140: Exkurs: Die Beziehungen der Dichterin zu Herzog Anton Ulrich).

*Wolfgang Kayser:* Die Wahrheit der Dichter. Wandlung eines Begriffes in der deutschen Literatur. 1959.

*Blake Lee Spahr:* Der Barockroman als Wirklichkeit und Illusion. In: Deutsche Romantheorien. Beiträge zu einer historischen Poetik des Romans in Deutschland, hrsg. von Reinhold Grimm. 1968. S. 17–28.

*Ders.:* Protean Stability in the Baroque Novel. In: Germanic Review 40, 1965, S. 253–260.

*Eugen Thurnher:* Der barocke und der klassische Roman. In: Colloquia Germanica 4, 1970, S. 1–6.

*Ders.:* Geist und Form des barocken Romans. In: Wissenschaft und Weltbild 14, 1961, S. 147–149.

*Ders.:* Das Formgesetz des barocken Romans. In: Germanistische Abhandlungen, hrsg. von Karl Kurt Klein und Eugen Thurnher. Innsbruck 1959, S. 147–154.
*Haslinger; Maché; Müller:* Deutsche Dichtung von der Renaissance (wie S. 7); *Schäfer:* Amadis; *Voßkamp; Wahrenburg* in *Lämmert* (Hrsg.): Romantheorie (wie S. 31).

## *III. Huet und seine Wirkung*

### *1. Scudéry und Huet*

Vorbild für den deutschen höfisch-historischen Roman des Barock ist der französische roman héroique, der sich im Verlauf der ersten Hälfte des 17. Jh.s einer auf aristotelischer Tradition beruhenden klassizistischen Ästhetik unterwirft. Diese Anschauungen der doctrine classique in Frankreich, gegründet auf Wahrscheinlichkeit (vraisemblence) und den Schicklichkeiten (bienséances), zeigen sich schon früh in Romanvorreden und werden im Vorwort zum »Ibrahim« (1641) von *Madeleine* (und Georges) *de Scudéry* in »ein nahezu vollständiges System der klassizistischen Romanästhetik« zusammengefaßt, über das *Pierre Daniel Huet* in seinem »Traité de l'origine des romans« (1670) nicht wesentlich hinausgelangen sollte (Hinterhäuser, Nachwort, S. 16; vgl. Lindhorst, S. 44 ff.). Die Vorrede zum »Ibrahim« fehlt in Zesens deutscher Übertragung von 1645. Den Ausführungen der Scudéry liegt die klassizistische Anschauung zugrunde, daß jede Kunst auf Regeln beruht, die für den Roman anhand des antiken Epos und *Heliodors* »Aithiopika« im Einklang mit den Forderungen nach Wahrscheinlichkeit und den Schicklichkeiten definiert werden: Beginn medias in res, die organische Verbindung von Haupthandlung und Nebenhandlungen, eine ›vernünftige‹ Zeitstruktur (Dauer der Gegenwartshandlung nicht länger als ein Jahr, die zurückliegende Handlung soll in Vorgeschichten erzählt werden), Berücksichtigung des geschichtlichen und kulturellen Hintergrunds, vertiefte Charakterdarstellung und moralische Wirkungsabsicht. Die Scudéry selbst entwickelte ihre Anschauungen in ihrer »Clélie« (1654–1660, dt. 1664) weiter; von hier werden Teile wieder in ihre Schrift »Les Conversations sur divers Sujets« (1682) übernommen, die auch ins Deutsche übersetzt wird (1685). Die entscheidende Wirkung auf die deutsche Romantheorie geht freilich erst von Huets Schrift aus (1670, dt. u. lat. 1682), ohne daß ein früherer Einfluß Scudéryscher Gedanken von der Hand zu weisen ist (vgl. v. Ingen, Zesen, S. 36 f.; Kaczerowsky, S. 49 ff.).

Über die Bewertung von *Huets* Traktat gehen die Meinungen auseinander. Während Hinterhäuser mehr den rückwärtsgewandten Charakter betont (Zusammenfassung der theoretischen Tendenzen seiner Zeit, Geschichte des Romans als Vorgeschichte der Leistungen des französischen 17. Jh.s), weist Voßkamp auf die Ambivalenz von Huets Werk hin, seine zugleich retrospektive und prospektive Tendenz, wobei sich letztere vor allem in der deutschen Huetrezeption zeige (S. 72). Drei große Themenbereiche lassen sich ausmachen: Apologie des Romans, Grundzüge einer Romanästhetik, Geschichte des Romans von den Anfängen bis zur Gegenwart (Hinterhäuser, Nachwort, S. 9*). Nach Huets Definition sind Romane »auß Kunst gezierte und beschriebene Liebes Geschichten in ungebundener Rede zu unterrichtung und Lust des Lesers« (Huet-Happel, S. 104), wobei im Verlauf der Argumente der Lehre die erste Stelle eingeräumt wird. In diesen Bereich gehört neben dem moralischen auch der gesellschaftliche Nutzen: die Romane gelten als Handbücher der guten Lebensart (Hinterhäuser, Nachwort, S. 12*). Wichtiger ist aber ein anderer, ebenfalls schon in der Definition angeschnittener Punkt: der Hinweis auf die prosaische Form des Romans. Huet argumentiert mit Aristoteles, daß nicht die Metren, sondern wesentlich die Mythen den Dichter zum Dichter machen (Poetik IX). Damit ist der moderne Romandichter rehabilitiert: »Diese Erkenntnis bedeutet nicht mehr und nicht weniger als die ästhetische Mündigkeitserklärung des Romans« (Hinterhäuser, Nachwort, S. 13*). Verwandte Auffassungen finden sich freilich schon bei den Aristotelikern des 16. Jh.s und in *Cervantes'* »Don Quijote« (I, 47).

Huets Hinweise zur Romanästhetik gehen prinzipiell nicht über das bei der Scudéry Vorhandene hinaus: Organismusgedanke, Einsatz medias in res, Wahrscheinlichkeit im klassizistisch-aristotelischen Sinn, die Orientierung am und die Abgrenzung vom Epos. Während nämlich im Epos eine politische und kriegerische Handlung im Mittelpunkt stehe, dominiere im Roman die Liebeshandlung. Huets Definition des Romans als Liebesroman bedeutet eine Grenzziehung nicht nur gegenüber dem Epos, sondern auch gegenüber dem französischen roman héroique, der die erste Jahrhunderthälfte beherrscht hatte. Die deutschen Theoretiker und Praktiker des galanten Romans konnten Huets Definition als Rechtfertigung ihres eigenen Vorgehens ansehen (Voßkamp, S. 76).

## 2. *Huet in Deutschland*

Huets Traktat, der ursprünglich die »Zayde« (1670) von de Segrais und Madame de La Fayette einleitete (als »Lettre de Monsieur Huet, à Monsieur de Segrais«), wurde von *Eberhard Guerner Happel* als Exkurs in einen seiner Romane eingebaut (»Der Insulanische Mandorell«, 1682, S. 572–629). Die erfolgreiche, in dem einflußreichen Gelehrtenorgan ›Acta Eruditorum‹ 1683 rezensierte lateinische Übersetzung von Wilhelm Pyrrho (1682) trug ebenfalls zur Wirkung Huets bei.

Es wird üblich, unter Berufung auf Huet den Roman in die Poetiken aufzunehmen. *Daniel Georg Morhof* (»Unterricht Von Der Teutschen Sprache und Poesie«, 1682, $^{2}$1700) fügt seine Erörterung über die Romane in das Kapitel über das Epos ein, da er den einzigen Unterschied zwischen Roman und Epos im Metrum erblickt. Eine Berufung auf Huet fehlt nicht, wohl aber dessen inhaltliche Trennung von Roman und Epos. *Albrecht Christian Rotth* (»Vollständige Deutsche Poesie«, 1688) dagegen übernimmt die Einteilung Huets in »Helden-Gedichte« und »Liebes-Gedichte« (»Romaine«), die sich in Inhalt und Stil voneinander unterscheiden, doch grundsätzlich den gleichen Regeln unterworfen sind. Im übrigen schreibt er einfach Happels Huet-Übertragung ab. Zugleich mit der Wirkung auf die Poetiken, wobei auch noch *Magnus Daniel Omeis* (»Gründliche Anleitung zur Teutschen accuraten Reim- und Dicht-Kunst«, 1704) zu nennen ist, regt die Schrift Huets auch in Deutschland selbständige Traktate über den Roman an. Die 1684 publizierte Schrift »Réflexions sur les Romans« von *Susanne Elisabeth Prasch* wird bei Wolff besprochen (S. 66–71); ein Exemplar des verloren geglaubten Originaltextes konnte inzwischen wieder aufgefunden werden – (Kopie: UB München). In dieser Schrift verbinden sich Einflüsse der Scudéry und Huets mit Vorstellungen eines geistlichen Romans, wie ihn ihr Gatte Johann Ludwig Prasch mit seiner »Psyche Cretica« (1685) vorlegte. Zu den bemerkenswerten Akzenten, die die »Réflexions« setzen, gehören die Gedanken über die räumliche Begrenzung der Romane (Wolff, S. 69). Im Zeichen der Nachfolge Huets steht auch die Dissertation von *Jacob Volckmann* (»De fabulis Romanensibus antiquis et recentioribus«, 1703), ebenso das *Erdmann Neumeister* zugeschriebene »Raisonnement über die Romanen« (1708), das den Standpunkt der galanten Dichtung vertritt und dem Roman die Funktion zuteilt, eine »galante Conduite zu lehren« (zit. nach Lämmert, S. 65). Grundsätzlich ist zu bemerken, daß Huets Vorstellungen deutschen romangeschichtlichen Gegebenheiten angepaßt werden: die Verfechter des höfisch-historischen Romans bestehen auf der Verbindung von Helden- und Liebesgeschichte und lassen die von Huet abgelehnten Exkurse zu, die Vertreter des galanten Romans dagegen verwenden Huets Definition des Romans als Liebesroman zu ihrer Rechtfertigung. Huets Nachwirkung bis *Gottsched* und Modifikationen seiner Auffassungen diskutieren im einzelnen Voßkamp und Wolff.

### *3. Roman und Epos*

Während die Parallelisierung von Roman und Komödie durch *Daniel Richter* (»Thesaurus oratorius novus«, 1660) eine Ausnahme bleibt, gehört die Vergleichung mit dem Epos zur gängigen Praxis. Anhand des Vergleichs mit dem Epos entwickelt sich langsam das Selbstverständnis des Romans als Gattung. Dieser Prozeß beginnt schon im 16. Jh. in Italien, als es gilt, Ariostos und Tassos Romanzi vor der aristotelischen Interpretation des Epos zu rechtfertigen. Die französischen Theoretiker orientieren sich ebenfalls am Epos. *Huet* weist ausdrücklich darauf hin, daß das Verskriterium nicht entscheidend für ein Kunstwerk sei und orientiert die Struktur des Romans am Epos, macht jedoch Unterschiede in bezug auf das Vorherrschen von Staats- und Liebeshandlung, des Wunderbaren oder Wahrscheinlichen und hoher und mittlerer Standespersonen. In seiner Nachfolge bezeichnen *Morhof* und *Omeis* das Metrum als den einzigen Unterschied zwischen Roman und Epos, während *Rotth* Verschiedenheiten in Inhalt und Stil erkennt. Bei *Birken* (»Teutsche Rede- bind- und Dicht-Kunst«, 1679) liegt der Unterschied darin, daß das Epos in lauter Versen geschrieben ist, während der Roman als Mischform Prosa mit eingelegten Versen verbindet (vgl. Voßkamp, S. 70).

Das 17. Jh. ist eine Blütezeit des Romans. Epen, obwohl theoretisch hochgeschätzt, werden kaum geschrieben. *Opitz* äußert Skepsis über die Möglichkeit eines Epos in seiner Zeit (»Buch von der Deutschen Poeterey«, 1624, Kap. 5), und *Rotth* stellt 1688 lakonisch fest, daß bisher in Deutschland noch kein solches »Helden-Gedichte« geschrieben worden sei. Dagegen spricht auch nicht die Existenz von *Wolfgang Helmhard von Hohbergs* »Habspurgischem Ottobert« (1664), einem Roman in Versen (vgl. Lindhorst, S. 43; Brunner, S. 202). In die gleiche Richtung zielt die Charakterisierung von *Christian Heinrich Postels* »Der grosse Wittekind« (posthum 1724) als »Reise- und Abenteuerroman« (Vilter, S. 100). Ohnehin kann man die Meinung vertreten, daß der Roman des 17. Jh.s dem Epos verwandter sei als dem bürgerlichen Roman, insofern er nämlich kein Roman der »transzendentalen Obdachlosigkeit« (Lukács), sondern »einer der theologisch garantierten Wahrheit« ist (Voßkamp, S. 28).

Die vorherrschende Tendenz, den Roman durch die Berufung auf das ehrwürdige Epos zu rechtfertigen, wird nicht von allen Autoren geteilt. Es gibt bemerkenswerterweise den Fall, in dem ein klassisches Epos an den Leistungen des modernen höfisch-historischen Romans gemessen wird. In einer wahrscheinlich in den fünfziger Jahren des 17. Jh.s erschienenen Prosaübertragung von Vergils »Aeneis« wendet der Übersetzer und Bearbeiter *Daniel Symonis* Formgesetze des Romans auf das Epos an (Meid). Neben einer am Roman orientierten sprachlichen Ausschmückung einiger Passagen ist es vor allem der Anfang der »Aeneis«, der sich einem gewaltsamen Eingriff ausgesetzt sieht: Die Eingangsverse 1–33 (Arma virumque cano...) fallen ersatzlos weg. Die Begründung in einer der Anmerkungen weist darauf hin, daß »di Erzälung annämlicher lautet / wan man fort auf di Sache kōmet / das der erste Anfang erst hernach beigebracht würd / wi dises in der Ariana / Arkadia / uam. meisterlich beobachtet« (zit. nach Meid, S. 160). So werden Vergils Eingangsverse das Opfer eines Formideals, das vage mit dem Hinweis auf die zeitgenössischen Romane von Desmarets und Sidney begründet wird. Hier ist es nicht mehr der Roman, der sich zu rechtfertigen hat, sondern das Epos, das sich der »newe[n] Art zu schreiben« (Barclay-Opitz, Argenis, ed. Schulz-Behrend, S. 5) anbequemen muß. Dies überrascht um so mehr, als Vergil in der Regel als der Epiker par excellence gilt, während allerdings Homers »Odyssee« durchaus »als Archetyp und Paradigma der modernen Romanliteratur« von den Poetikern des späten 17. Jh.s aufgefaßt zu werden scheint (Bleicher, S. 179).

*Literatur:*

*Thomas Bleicher:* Homer in der deutschen Literatur (1450–1740). Zur Rezeption der Antike und zur Poetologie der Neuzeit. 1972.

*Otto Brunner:* Adeliges Landleben und europäischer Geist. Leben und Werk Wolf Helmhards von Hohberg 1612–1688. Salzburg 1949.

*Hans Hinterhäuser*, Nachwort zu Huet, Traité (s. S. 31).

*Volker Meid:* Vergils »Aeneis« als Barockroman. In: Festschrift Weydt, S. 159–168.

*Erich Vilter:* Die epische Technik in Chr. H. Postels Heldengedicht »der grosse Wittekind«. Ein Beitrag zur Geschichte der Renaissanceepen. Diss. Göttingen 1899.

*van Ingen*, Zesen; *Kaczerowsky* (wie S. 17); *Lindhorst; Voßkamp; Wolff* (wie S. 31).

## IV. Der Schäferroman

Romantheoretische Äußerungen zu dieser Gattung sind recht spärlich (vgl. Voßkamp, S. 45 ff.). Für die Romane, die eine Verbindung mit dem höfischen Roman eingehen, gelten im wesentlichen dessen Gesetze. Davon zeugt etwa *Harsdörffers* Vorrede zur deutschen Übersetzung der »Diana« (1646), dem einzigen theoretischen Zeugnis von Bedeutung, das sich zu Poetik und Geschichte des Schäferromans äußert. Als deutsche Sonderentwicklung entsteht eine Gruppe nichthöfischer Schäferromane, in denen Liebe als privates Problem gezeichnet wird und autobiographische Hintergründe anzunehmen sind (vgl. S. 67ff.). Wesentliche theoretische Einsichten ergeben sich aus den Vorreden dieser Werke nicht.

*Literatur:*

*Voßkamp.*

## V. Der Picaroroman

Die Autoren des niederen Romans verstehen ihre Werke als satirische Schriften. Unterschiede bestehen in der jeweiligen Norm, die als notwendig für die satirische Schreibart erachtet wird. So handelt es sich etwa bei *Grimmelshausen* um eine heilsgeschichtlich geprägte, moralische Norm, während bei *Christian Weise* Tugend und Laster sich auf ein pragmatisches Tugendideal beziehen (Voßkamp, S. 31). Wie der höfisch-historische betont der satirische Roman die Notwendigkeit, die Lehre in angenehmer Verkleidung zu übermitteln. Auf Weises pragmatische Tendenz verweist seine Hauptfrage »nach den Bedingungen der Wirkungsmöglichkeit auf den Romanleser und den möglichst wirksamen Techniken des Romanverfertigens zum Zwecke angenehmer ›Belustigung‹ und nützlicher Lehren« (Voßkamp, S. 97). Die im »Kurtzen Bericht vom Politischen Näscher« (1680) enthaltene Affektenlehre zeigt ebenfalls die Betonung des Wirkungsaspekts von Weises versteckter Satire.

Der niedere Roman versteht sich als Gegenbild zum höfisch-historischen Roman. Grundsätzlich, wenn auch mit unterschiedlicher Akzentuierung, ist für den hohen Roman das Wahrscheinlichkeitskriterium bestimmend. Dagegen steht ein ausgesprochener Wahrheitsanspruch des niederen Romans. Grimmelshausen z. B. stellt die »rechten Historien« und »wahrhafften Geschichten« den »Liebes-

Büchern« und »Helden-Gedichten« wertend gegenüber (»Simplicissimus«, ed. Tarot, S. 262), während für *Beer* die Liebes- und Heldengeschichten »nur mit erlogenen und großprahlenden Sachen angefüllet« (»Teutsche Winter-Nächte«, ed. Alewyn, S. 206) und »recht lächerlich fingiert« sind (»Jucundus Jucundissimus«, ed. Alewyn, S. 129; vgl. Hadley, S. 34). Solche Abgrenzungen haben ihr Vorbild in *Charles Sorel,* der in kritischen Abhandlungen den roman comique vom höfischen Roman abgrenzte (vgl. Voßkamp, S. 36 f.). Weder Huet noch die deutsche Romantheorie nehmen diese Überlegungen auf. Erst *Thomasius* weist dem satirischen Roman seinen gebührenden Platz zu.

*Literatur:*

*Michael L. Hadley:* Johann Beer's Approach to the Novel. In: Seminar 7, 1971, S. 31–41.
*Voßkamp.*

## *VI. Thomasius*

Thomasius teilt die »politischen« Absichten Christian Weises und das Interesse an der »Kunst derer Leute Gemüther zu erforschen« (Monatsgespräche 1688, S. 49, zit. nach Lämmert, S. 42). Seine Anschauungen legt er in Gesprächsform und in Rezensionen nieder. Neue Gesichtspunkte ergeben sich aus seiner Einteilung der Romane in lange und kurze (das Problem der Begrenzung des Umfangs war schon von S. E. Prasch angeschnitten worden), wobei er sich bei der Charakterisierung des kurzen Liebesromans auf die französische Romanproduktion stützt. Ein neues Leserbedürfnis nach Überschaubarkeit, Annäherung an zeitgenössische Begebenheiten und Dreiecksgeschichten macht sich bemerkbar. Frühe deutsche Annäherungsversuche an eine solche Kleinform wie etwa Philipp von Zesens »Adriatische Rosemund« (1645) werden allerdings unnachsichtig abgelehnt, weil sie nicht Thomasius' »aristokratische[m] honnêteté-Ideal« entsprechen (Voßkamp, S. 110).

Wichtige Einsichten vermitteln die Rezensionen zweier zeitgenössischer deutscher Romane. In der Besprechung von Eberhard Guerner Happels »Afrikanischem Tarnolast« (1689) findet sich eine Offenheit gegenüber neuen Formen des Romans und ein wirklichkeitsnäherer Wahrscheinlichkeitsbegriff. In der Besprechung von Lohensteins »Arminius« (1689/90) kommt Thomasius zu einer Unterscheidung von vier Klassen von Romanen (vgl. Voßkamp,

S. 108 ff.). Dabei werden Ritterromane und Schäferromane negativ, höfisch-historische und satirische Romane positiv bewertet. Als Beispiele für den satirischen Roman werden Werke von Cervantes, Sorel und Scarron angeführt, nicht aber die spanischen Schelmenromane und Grimmelshausens »Simplicissimus«. Außerhalb dieser Klassifizierung steht Lohensteins »Arminius«, der etwas sonderliches und irreguläres habe, was Thomasius aber nicht tadelt, denn was vortrefflich sei, weiche von der gemeinen Regel ab (Monatsgespräche 1689, S. 664; Lämmert, S. 49). Worin das Besondere des auf die Aufklärung vorausweisenden »Arminius« in der Sicht von Thomasius und anderer frühaufklärerischer Romanrezensenten besteht, hat Kafitz im einzelnen dargestellt. Es zeigt sich in der besonderen Methode Lohensteins, den Leser zum Selbstdenken anzuregen, indem er »nichts determiniret, sondern dem Leser dasselbige zuthun überläst« (Monatsgespräche 1689, S. 668, zit. nach Lämmert, S. 50; vgl. Kafitz, S. 36 ff.).

*Literatur:*

*Dieter Kafitz:* Lohensteins »Arminius«. Disputatorisches Verfahren und Lehrgehalt in einem Roman zwischen Barock und Aufklärung. 1970.
*Voßkamp.*

## *VII. Romankritik*

Die Kritik am Roman, die während des 17. Jh.s geäußert wird, richtet sich in der Regel nicht gegen die Gattung selbst, sondern hat bestimmte Erscheinungen wie den »Amadís« und die Prosaromane des 15. und 16. Jh.s (Volksbücher) im Auge. Die Polemik gegen den »Amadís«, die von Theologen wie Schriftstellern ausging, kann man als Kampf um die Anerkennung des Romans als Kunstform auffassen (W. E. Schäfer, Amadis, S. 382). Erst am Ende des Jahrhunderts wird von kalvinistischer Seite radikale Romankritik geübt.

Die von Herbert Schöffler untersuchte Literaturfeindlichkeit des englischen Puritanismus findet ihr kontinentales Gegenstück in den Anschauungen des Schweizer reformierten Pastors *Gotthard Heidegger,* der in seiner Schrift »Mythoscopia Romantica: oder Discours Von den so benanten Romans« (1698) alle nur möglichen Einwände gegen den Roman zusammenfaßt. Entscheidend sind dabei die theologischen Argumente. Das wichtigste Argument betrifft die Verurteilung alles fiktiven Erzählens unter Berufung auf eine Bibelstelle

(1. Tim. 4:7). Für Heidegger steht fest: »wer Romans list / der list Lügen« (S. 71). Maßstab der Wahrheit ist die Bibel. Besonders verwerflich sind deshalb gerade die Romane, die Geschichte (auch biblische Geschichte) und Fiktion miteinander verbinden und sich damit anmaßen, Gott und seine Werke, die Geschichte, korrigieren zu wollen (Wahrenburg, S. 51). So bezeichnen für ihn die Romane von *Bucholtz* keinen prinzipiellen Fortschritt gegenüber dem »Amadís«. Ein weiteres auf die Bibel gegründetes Argument betrifft die Tatsache, daß das Lesen von Romanen den Menschen von seiner eigentlichen Bestimmung ablenke: der gräuliche »Zeit-raub« (S. 62), den das Romanlesen bedeutet, hält ihn davon ab, die ihm von Gott gegebene Zeit für sein Seelenheil zu nutzen (Schäfer, Nachwort, S. 347 f.).

Heidegger erweist sich durchaus als guter Kenner der so verdammten Romane. Auch mit Huets Schrift über den Ursprung der Romane ist er vertraut. In der Auseinandersetzung damit wird er sogar zu romanästhetischen Betrachtungen provoziert (Voßkamp, S. 127), die auf eine Kritik des verwirrenden Handlungsschemas des höfisch-historischen Romans zielen. Er wendet sich gegen die vielbändigen Barockromane und begrüßt die Tendenz zu kürzeren, übersichtlicheren Romanen. Diese Tendenz allerdings interpretiert er als Zeichen für den ersehnten Verfall der Gattung überhaupt.

Die Polemik Heideggers blieb nicht ohne Antwort. *Leibniz* verfaßte eine gemäßigte Rezension der Schrift, in der er entgegen Heidegger die Nützlichkeit schöner Erfindungen betont (abgedruckt bei Lämmert, S. 57). Eine scharfe Replik veröffentlichte der Thomasiusschüler *Hieronymus Gundling* (abgedruckt bei Lämmert. S. 58 ff.). In der Schweiz dagegen fanden sich Nachfolger und Verteidiger Heideggers. Zur Frage, was die heftige Kritik am Barockroman, die ebenso aus pietistischen Kreisen vorgetragen wurde, für die Entstehung eines neuen Romantyps bedeutete, hat sich Voßkamp geäußert (S. 121 ff.).

*Literatur:*

*Ursula Hitzig:* Gotthard Heidegger 1666–1711. Winterthur 1954.

*Lieselotte E. Kurth:* Die zweite Wirklichkeit. Studien zum Roman des 18. Jh.s. Chapel Hill 1969.

*Heddy Neumeister:* Geistlichkeit und Literatur. Zur Literatursoziologie des 17. Jh.s. 1931.

*Walter Ernst Schäfer:* Nachwort zu Gotthard Heidegger: Mythoscopia Romantica (s. S. 31).

*Schäfer:* Amadis; *Voßkamp; Wahrenburg* in *Lämmert* (Hrsg.): Romantheorie (s. S. 31).

## D. Der deutsche Roman des 17. Jahrhunderts

### *I. Romanproduktion; Autor, Verleger, Publikum*

#### *Romanproduktion*

Es gibt keine exakten empirischen Untersuchungen über den Umfang der deutschen Romanproduktion im 17. Jh. Auch über Auflagenhöhen sind wir allenfalls in Einzelfällen unterrichtet. Die Klagen zeitgenössischer Kritiker über die hereinbrechende Flut von Romanen müssen cum grano salis genommen werden. Nach unseren Begriffen war die Romanproduktion im 17. Jh. nicht sehr umfangreich. *Heideggers* Feststellung von 1698, daß vierteljährlich »einer oder mehr Romans« erschienen – was er selber als ein »ohnendlich Meer« bezeichnet (Mythoscopia Romantica, S. 13) –, dürfte den Gegebenheiten recht nahe kommen. *Wolfgang Kayser* nennt für 1740 die jährliche Quote von nur 10 Romanen, die dann allerdings bis 1800 auf 500 ansteigt (S. 5 f.). Aus der Analyse der Frankfurter und Leipziger Meßkataloge, deren Angaben freilich nicht sehr zuverlässig sind, ergibt sich neben dem bekannten Umstand, daß bis zum Ende des 17. Jh.s mehr lateinische als deutschsprachige Bücher gedruckt werden, auch die Tatsache, daß nur ein geringer Teil der deutschen Bücher dem Bereich »Poesie« zugerechnet werden kann (Knight, S. 6). Theologische Literatur, Erbauungsliteratur und weltliche Literatur informativen Charakters (Geographie, Politik, etc.) dominieren und beeinflussen ihrerseits die Romanliteratur, die das weitverbreitete Bedürfnis nach Information und Erbauung nicht ignorieren konnte (Knight, S. 8 f.).

Analysen der Meßkataloge in bezug auf Romane gibt es allenfalls für einzelne Autoren (Grimmelshausen). Im übrigen sind wir auf die Zahlen von *Arnold Hirsch* angewiesen (Barockroman, S. 97). Danach erschienen von 1615 bis 1669 87 Romane (29 Originalromane und 58 Romanübersetzungen), von 1670 bis 1724 466 Romane (315 Originalromane und 151 Übersetzungen). Eine genaue Statistik einschließlich einer Aufschlüsselung nach Romangattungen fehlt.

#### *Autor*

Über die Schaffensweise der Romanautoren des 17. Jh.s ist nur wenig bekannt. Einblicke in die Werkstatt eines Dichters, und sei es nur indirekt durch Manuskripte, die verschiedene Stufen im Schaffen darstellen, sind selten. Äußerungen der Autoren über ihr Schaffen sind ebenfalls nicht sehr häufig und, besonders wenn sie in Vorreden auftreten, nur mit Vorsicht zu interpretieren. Den einzigen tieferen Einblick in die Entstehung eines Barockromans haben wir *Spahrs* Untersuchung der Entstehungsgeschichte der »Aramena« (1669–1673) von *Anton Ulrich von Braunschweig* zu verdanken.

Anhand von Manuskripten in Wolfenbüttel und im Archiv des Pegnesischen Blumenordens in Nürnberg weist Spahr nach, daß die Urfassung der »Aramena« von Sibylla Ursula, der Schwester Anton Ulrichs, niedergeschrieben wurde (das sogenannte MS 2). – Die Folgerung, zu der Spahr neigt, in Sybilla Ursula die (alleinige) Autorin von MS 2 zu sehen, ist bezweifelt worden. Haslinger hält es zumindest für wahrscheinlich, daß es sich um eine Gemeinschaftsarbeit der beiden Geschwister handelt (Haslinger, Besprechung, S. 335). Die Übersetzungen französischer höfisch-historischer Romane, die in Wolfenbüttel im Manuskript vorhanden sind, stammen allerdings von Sibylla Ursula (Spahr, Aramena, S. 41 f.). Eine endgültige Klärung dieser Frage ist ohne zusätzliche Dokumente nicht möglich. – MS 2 ist die Grundlage für eine Umarbeitung des Romans durch Anton Ulrich (MS 3), die nach Nürnberg an Sigmund von Birken geschickt wurde. Eine Reinschrift der Umarbeitung verblieb in Wolfenbüttel (MS 1). Von MS 3 sind jedoch nur wenige Blätter erhalten. Birken überarbeitet nun Anton Ulrichs Fassung stilistisch und rhetorisch. Weitere Eingriffe ergeben sich bei der Korrektur der Druckfahnen, wobei eine Einflußnahme Anton Ulrichs möglich ist, aber nicht durch Briefe oder andere Dokumente belegt werden kann. Zu den zahlreichen weiteren Funden und Belegen gehört der Nachweis, daß es sich beim 5. Band der »Aramena« um einen Schlüsselroman handelt, in den Anton Ulrich, analog zur Arbeitsweise der Pegnitzschäfer, Gedichte verschiedener Verfasser aufgenommen hat (Spahr, Aramena, S. 131 ff.).

### *Verleger*

Wir wissen nicht allzuviel über die Beziehungen zwischen Schriftsteller und Verleger im 17. Jh. Äußerungen *Harsdörffers* weisen auf die bestehenden Spannungen hin, so wenn er sich über Überheblichkeit und Gewinnsucht der Nürnberger Verleger äußert (vgl. Bircher, S. 74; Spahr, Archives, S. 13) und darauf hinweist, daß man mit Bücherschreiben kaum Geld verdienen könne (Bircher, S. 68). Auch *Sigmund von Birken* äußert sich nicht sehr wohlwollend über Nürnberger Verleger (Spahr, Archives, S. 85). *Felßeckers* Praktiken, ein kontroverser Fall der Grimmelshausenforschung, werden von Koschlig neuerlich wieder behandelt. Ihm verdanken wir auch konkrete Hinweise auf die Arbeit des Korrektors Johann Christoph Beer bei Felßecker, dem u. a. die Bearbeitung des sogenannten »Barock-Simplicissimus« (1671) zugeschrieben wird (Dokumente, S. 106). Außer gelegentlichen Hinweisen in Briefen oder Tagebüchern (Birken) handelt es sich bei der Beziehung zwischen Verleger und Romanautor im Barock noch um ein unerforschtes Gebiet.

## *Publikum*

Gleichfalls wenig bekannt ist über die Lesegewohnheiten des Publikums, über das Publikum überhaupt. Zeugnisse von Romanlesern über ihre Lektüre sind selten, Romanrezensionen setzen erst sehr spät im 17. Jh. ein. Gleichwohl läßt sich aus den Romanen selbst, aus ihren Titeln und Vorreden eine Vorstellung vom angesprochenen Publikum gewinnen. *Volkmann* weist darauf hin, daß vom 15. bis 17. Jh. der kommerzielle Gesichtspunkt bei der Titelgebung überwiegt und das beim Romantitel mehr als bei anderen literarischen Gattungen (S. 1082). Bei der Titelgebung entwickeln sich Konventionen innerhalb der verschiedenen Gattungen der Romandichtung. Den Unterschied in der Titelgebung des höfischen Romans und des niederen Romans umreißt Volkmann allgemein als den Unterschied von Repräsentation und Reklameplakat (S. 1141). Sein Hinweis, daß Anton Ulrichs Romane keine großen Bucherfolge wurden, ist berechtigt. Die Erstellung einer Art Bestsellerliste für das 17. Jh. würde wohl ergeben, daß mit der Ausnahme Grimmelshausens der Bucherfolg und die Wertung der Literaturgeschichtsschreibung keineswegs übereinstimmen. Die Beliebtheit eines Buches drückt sich nicht nur in seinen häufigeren Auflagen aus, sondern auch in der Tatsache, daß Schriftsteller und Verleger Kapital aus diesem Erfolg zu schlagen suchen, indem sie den erfolgreichen Titel nachahmen (Ziglers »Asiatische Banise«, Grimmelshausens »Simplicissimus«, Christian Weises »politscher« Roman).

Ebenso wie die Romantitel gehorchen auch Romanvorreden (vgl. *Ehrenzeller*), Romaneingänge (vgl. *Miller*) und Kapitelüberschriften (vgl. *Wieckenberg*) Gattungszwängen, die durch bestimmte Vorbilder festgelegt werden. Wieckenberg sieht in der Überschriftenlosigkeit bestimmter Romane, vor allem denen Anton Ulrichs, »eine besondere Haltung, ein Ethos, das sich von dem des ›volkstümlichen‹ Romans und der ihm näherstehenden Werke unterscheidet« (S. 99). Nicht zuletzt durch seine Überschriftenlosigkeit gebe sich »der hohe Barockroman als Dichtungsform aus höfisch-absolutistischem Geist zu erkennen«, das Fehlen oder Vorhandensein von Kapitelüberschriften werde zum Indikator der Höhenlage eines Romans (S. 99). Die Exklusivität Anton Ulrichs ist nicht die einzige Möglichkeit des höfisch-historischen Romans. Die Romane von

Zesen, Bucholtz u. a. richten sich an ein weiteres, wenn auch immer noch ständisch oder von der Bildung her privilegiertes Publikum. Die »Assenat« Zesens wendet sich nicht zuletzt an ein höfisch orientiertes Beamtentum (Meid, Heilige u. weltliche Geschichten, S. 33 f.), während Bucholtz »auch streng orthodoxen und selbst pietistischen Kreisen den Weg zum Interesse an weltlicher Prosa bahnte« (Neumeister, S. 160).

Läßt sich der Leserkreis der höfischen Romane einigermaßen abgrenzen, so ist die Bestimmung der Leserschaft des ›niederen‹ Romans schwieriger. Die Charakterisierung Grimmelshausens als Volksschriftsteller hilft nicht viel weiter. Auch G. Müllers Formulierung, daß Zesen als Kunstschriftsteller und Grimmelshausen als Unterhaltungsschriftsteller des spätbarocken Bürgertums anzusehen sei (Barockromane, S. 21), besagt ohne Differenzierung wenig. Daß Grimmelshausen »dem Geschmack eines breiten Leserkreises des 17. Jh.s entsprach« (Volkmann, S. 1144), ist hinreichend durch die zahlreichen berechtigten und unberechtigten Nachdrucke seiner Werke belegt. *Koschlig* hat die französischen Anklänge des Titelblatts der ersten »Simplicissimus«-Ausgabe in der Richtung interpretiert, daß Grimmelshausen mit diesem Roman »über die Prognostiken- und Bauernpraktiken-Leser hinaus einen literarisch gebildeten Leserkreis gewinnen [wollte], der französisch sprach, las, sich kleidete« (Koschlig, Francion, S. 36). Belege findet er in Äußerungen von *Leibniz,* der lobende Worte für den »Simplicissimus« findet und ihn mit Sorels »Francion« vergleicht (S. 34), außerdem in der Tatsache, daß die Herzogin Sophie von Hannover, die sowohl den »Simplicissimus« als auch die »Courasche« kannte, einen fürstlichen Verfasser für den »Simplicissimus« annahm und die Lektüre mit modischer Handarbeit verband: für Koschlig Zeichen, »wofür man an den deutschen Höfen den »Simplicissimus« nahm: für etwas auf dem Gebiet der deutschen Literatur Ungewöhnliches, das irgendwie aus Frankreich herübergeweht zu sein schien.« (Koschlig, Francion, S. 35).

Diese Beispiele zeigen freilich, wie sehr man in der Frage des Lesepublikums auf Spekulationen oder vereinzelte Belegstellen angewiesen ist. Intensive Untersuchungen des Bereichs des Konsums sind jedoch Voraussetzung für eine rezeptionsgeschichtliche Betrachtung der Romanliteratur des 17. Jh.s.

*Text:*

*Sigmund von Birken:* Die Tagebücher des Sigmund von Birken, bearbeitet von Joachim Kröll. Teil 1. 1971.

*Literatur:*

*Adolf Haslinger:* Besprechung von Spahr, Anton Ulrich, 1966. In: Literaturwiss. Jb. der Görres-Gesellschaft 8, 1967, S. 331–342.
*Arnold Hirsch:* Barockroman und Aufklärungsroman. In: Études Germaniques 9, 1954, S. 97–111.
*Wolfgang Kayser:* Entstehung und Krise des modernen Romans. [5]1968 (zuerst in DVjs. 28, 1954, S. 417–446).
*K. G. Knight:* Einleitung zu: Deutsche Romane der Barockzeit (s. S. 4).
*Manfred Koschlig:* Dokumente zur Grimmelshausen-Bibliographie. In: Jb. der dt. Schillergesellschaft 16, 1972, S. 71–125.
*Volker Meid:* Heilige und weltliche Geschichten: Zesens biblische Romane. In: Philipp von Zesen 1619–1969. S. 26–46.
*Norbert Miller:* Der empfindsame Erzähler. Untersuchungen an Romananfängen des 18. Jh.s. 1968.
*Wolfgang Pfeiffer-Belli:* Die asiatische Banise. Studien zur Geschichte des höfisch-historischen Romans in Deutschland. 1940, Reprint 1969.
*Blake Lee Spahr:* The Archives of the Pegnesischer Blumenorden. A Survey and Reference Guide. Berkeley, Los Angeles 1960.
*Herbert Volkmann:* Der deutsche Romantitel (1470–1770). Eine buch- und literaturgeschichtliche Untersuchung. In: Börsenblatt für den dt. Buchhandel 23, 1967, S. 1081–1170.
*Ernst-Peter Wieckenberg:* Zur Geschichte der Kapitelüberschrift im deutschen Roman vom 15. Jh. bis zum Ausgang des Barock. 1969.
*Alewyn:* Beer; *Bircher* (wie S. 17); *Ehrenzeller* (wie S. 8); *Koschlig:* Francion (wie S. 28); *Müller:* Barockromane; *Neumeister* (wie S. 43); *Spahr:* Anton Ulrich.

## *II. Die Romangattungen*

Die Bezeichnungen für die verschiedenen Gattungen des Barockromans bieten ein verwirrendes Bild. Im allgemeinen geht die Literaturgeschichtsschreibung von zwei bzw. drei Hauptgattungen aus: Neben dem Schäferroman, der zuweilen nicht als eigene Gattung Berücksichtigung findet, sind dies der höfisch-historische (auch als idealistischer, heroisch-galanter oder idealistisch-feudaler Roman bezeichnet, vgl. die Liste der Bezeichnungen bei Haslinger, S. 9) und der Picaro- oder Schelmenroman (auch niederer, realistischer, realistisch-volksverbundener Roman genannt). Der enge Zusammenhang zwischen Gegenstand der Darstellung, Gattung und Stilhöhe, den die Barockpoetiken betonen und der z. B. durch die Ständeklausel im Drama noch weit bis ins 18. Jh. hinein gewirkt hat, gilt auch für den Roman. »Wie im Drama zog das Barock auch im Roman zwischen Hoch und Niedrig, zwischen höfischer Gesellschaft und gemeinem Pöbel, zwischen der Welt des Ideals und der

Welt der Alltäglichkeit eine scharfe Grenzlinie« (Miller, S. 45). Auch wenn der Roman in seiner Frühzeit noch nicht in den Poetiken behandelt wird, ist der auf dem Boden der humanistischen Poetik stehende Romandichter an bestimmte Gegebenheiten gebunden. Die Wahl seines Sujets bestimmt weitgehend Form und Höhenlage des Romans, der Autor ist an einen Kanon des Schreibens gebunden, Dichten ist stets ein Rollendichten.

Die Gattungen des höfisch-historischen Romans, des Schelmenromans und des Schäferromans, die im 16. Jh. zunächst in Spanien und Italien ausgebildet und dann in Frankreich fortentwickelt wurden, werden im 17. Jh. verbindlich für alle wesentlichen Nationalliteraturen Europas. Man hat die drei Gattungen über die Dichtung des 16. Jh.s zurück bis in die Antike verfolgt: *Heliodors* »Aithiopica«, *Longos* »Daphnis und Chloe« und *Petronius'* »Satiricon« stehen als Beispiele (Jolles, S. 282). Häufig jedoch wird der Schäferroman beiseite geschoben oder dem hohen Barockroman zugeschlagen. Nach Jolles ist es aber nicht so sehr die Macht der literarischen Tradition, die sich in der Dreiteilung der Gattungen kundtut. Er sieht ahistorische Konstanten, »literarische Travestien«, die die drei Richtungen verkörpern, »in denen der Mensch der Kultur zu entkommen sucht« (S. 287): nach außen (Hirt), nach oben (Ritter), nach unten (Schelm). Jolles Auffassung, daß »heroische, bukolische, pikareske Bücher« aus Formen herauswachsen, »die auch unabhängig von ihnen im Leben greifbar sind« (S. 294), gründet auf seiner Auffassung von Literatur als Energie »in der alten Bedeutung von Verwirklichung einer Potenz unter der Wirksamkeit einer Form« (S. 291 f.).

*Literatur:*

*André Jolles:* Die literarischen Travestien. Ritter – Hirt – Schelm. In: Blätter für dt. Philosophie 6, 1932/33, S. 281–294. Auch in: Pikarische Welt, S. 101–118.
*Haslinger; Miller.*

### 1. *Der höfisch-historische Roman*

Der höfisch-historische Roman gilt als der repräsentative Romantyp des deutschen Barock. Er spiegelt als einziger Romantyp »in repräsentativer Weise das Weltbild des Barock, dessen gesteigerte Wirklichkeit in der Idee« (Miller, S. 46). Von daher ist *G. Müllers* Gleichsetzung des höfisch-historischen Romans mit dem »eigentlichen« Barockroman zu verstehen (Barockromane, S. 21 ff.). Diesem Romantyp wird nicht nur in literarischen Kreisen höchste Anerkennung zuteil, auch Philosophen wie *Leibniz* und *Thomasius* sprechen ihm wesentliche Erkenntnisfunktionen zu. Für den Rang, den der höfisch-historische Roman im literarischen und kulturellen Leben der 2. Hälfte des 17. Jahrhunderts einnimmt, spricht auch die hohe gesellschaftliche Stellung der meisten Romandichter. Zu den wichtigsten Werken dieser Gattung gehören:

*Andreas Heinrich Bucholtz*, »Des Christlichen Teutschen Groß-Fürsten Herkules Und Der Böhmischen Königlichen Fräulein Valiska Wunder-Geschichte«, 1659/60.
*A. H. Bucholtz*, »Der Christlichen Königlichen Fürsten Herkuliskus Und Herkuladisla ... Wunder-Geschichte«, 1665.
*Anton Ulrich von Braunschweig-Wolfenbüttel*, »Die Durchleuchtige Syrerinn Aramena«, 1669–1673.
*Anton Ulrich von Braunschweig-Wolfenbüttel*, »Octavia Römische Geschichte«, 1677 ff. (vgl. Benders Bibliographie, S. 172 ff.).
*Heinrich Anselm von Zigler und Kliphausen*, »Die Asiatische Banise/Oder Das blutig- doch muthige Pegu«, 1689.
*Daniel Casper von Lohenstein*, »Großmüthiger Feldherr Arminius oder Herrmann ... Nebst seiner Durchlauchtigen Thußnelda In einer sinnreichen Staats-, Liebes- und Helden-Geschichte«, 1689/90.

Als Außenseiter in dieser Gruppe wird *Philipp von Zesen* mit seinen beiden biblischen Romanen angesehen; auch die ›Idealromane‹ *Grimmelshausens* können nur mit Einschränkungen zu dieser Gruppe gerechnet werden.

*Philipp von Zesen*, »Assenat«, 1670.
*Philipp von Zesen*, »Simson«, 1679.
*Hans Jacob Christoffel von Grimmelshausen*, »Histori vom Keuschen Joseph in Egypten«, 1667 (erschienen 1666).
*Grimmelshausen*, »Dietwalts und Amelinden anmuthige Lieb- und Leids-Beschreibung«, 1670.
*Grimmelshausen*, »Des Durchleuchtigen Printzen Proximi, und Seiner ohnvergleichlichen Lympidae Liebs-Geschicht-Erzehlung«, 1672.

### *Allgemeine Charakteristik des höfisch-historischen Romans*

Allgemeine Charakteristiken des höfisch-historischen Romans, die aber nur für die Kerngruppe der angeführten Romane gelten, folgen von *Müller* abgesteckten Grundlinien bei Modifikationen im einzelnen (vgl. u. a. Alewyn, Kayser, Lugowski, Singer, Wehrli).

Durch seinen Anschluß an den spätantiken Roman unterscheidet sich der höfisch-historische Roman des 17. Jh.s in wesentlichen Punkten vom älteren Ritterroman. Während dieser sich strukturell durch eine einsträngige Reihung von Abenteuern auszeichnet, setzt der in der Nachfolge *Heliodors* stehende Roman »an die Stelle der lockeren Abenteueraddition, der offenen Form der Abenteuerfahrt, eine bei aller Buntheit der Begebenheiten geschlossene Form« (Miller, S. 48): Im Mittelpunkt der Geschehnisse steht ein junges Liebespaar, das gegen seinen Willen auseinander gerissen wird und – nach mancherlei Fährnissen psychischer und physischer Art – am Ende durch eine glückliche Vereinigung belohnt wird. Da es sich bei den Helden des höfisch-historischen Romans fast ausschließlich um hohe Standespersonen handelt, spielen sich nicht private Liebesgeschichten ab, sondern mit dem wechselnden Geschick der Liebenden ist das Schicksal von Thronen und Reichen untrennbar verbunden. Wie sich das glückliche Ende durch immer neue Unglücksfälle und Verwirrungen fast beliebig hinauszögern läßt, so läßt sich die einfache Grundstruktur des Heliodorschen Romans – nur ein Liebespaar steht im Mittelpunkt – durch die Einführung weiterer Heldenpaare fast unübersehbar verkomplizieren: in *Anton Ulrichs* »Aramena« verflechten sich auf etwa 3900 Seiten die Geschichten von 27 Paaren, in der »Octavia« halten die Schicksale von 24 Paaren den Leser über fast 7000 Quartseiten in Atem. Ein »Geflecht von Liebesgeschichten« (Lugowski, S. 373) entsteht dadurch, daß der höfisch-historische Roman in der Nachfolge des griechischen Liebesromans die Technik der Inversion anwendet, d. h. mediis in rebus beginnt und die Vorgeschichten erzählend nachholt. Dadurch wird die Handlungszeit der manchmal riesigen Romane beschränkt (ein Jahr gilt bei der Scudéry als empfehlenswertes Maß), zugleich wird, da die Vorgeschichten oder Lebensläufe nicht säuberlich nach-, sondern nebeneinander erzählt und dabei mehrfach unterbrochen und miteinander verflochten werden, die »Dimension der Breite erschlossen« (Alewyn, Roman des Barock, S. 26). Lugowski betont zu Recht, daß in den hier angesprochenen Ausprägungen des höfisch-historischen Romans die Technik Heliodors, die John Barclay noch ziemlich unverändert übernommen hatte, eine nachweisbare Umbildung erfährt (S. 373). Die Vorgeschichten sind mehr als bloße Vorgeschichten, denn nach ihnen kommt nur noch ihr Abschluß: »Die Welt des Romans ist nicht viel mehr als die Welt der Vorgeschichten« (Lugowski, S. 384), die oft mehr als die Hälfte eines Romans ausmachen (vgl. Lugowski, S. 378 f.; Brögelmann, S. 9).

Die von den Protagonisten und Lesern erst im nachhinein entwirrbare Welt wird vordergründig von der Fortuna beherrscht.

Gegen ihre Macht behaupten sich die Helden des Romans, die die barocke Kardinaltugend der Beständigkeit verkörpern. Die Belohnung in diesen Prüfungsromanen erfolgt am Schluß, wenn sich die Fortunawelt als scheinhaft entpuppt und hinter der scheinbar chaotischen Welt die Providenz aufleuchtet: »die sittliche Weltordnung triumphiert in einer Schlußapotheose, die alle Verwirrung und Verirrung korrigiert« (Singer, Der galante Roman, S. 15; zur Interpretation des Romans als Theodizee vgl. S. 34).

### *»Barockromane und Barockroman«* (G. *Müller*)

Die allgemeine Charakteristik des höfisch-historischen Romans beschreibt einen Idealtyp bzw. die diesem am nächsten kommenden Verwirklichungen: in Deutschland die Romane *Anton Ulrichs* – und hier im Grunde nur die »Aramena« –, die Romane *de La Calprenèdes* in Frankreich. Die anderen Romane weichen mehr oder weniger von diesem Idealtyp ab, sie haben trotz gemeinsamer Merkmale ihre eigene Physiognomie. So stehen *Bucholtz'* Romane, die wahrscheinlich schon in den vierziger Jahren des 17. Jh.s entstanden sind (Maché, S. 544 f.), zwischen dem Ritterroman alter Prägung (»Amadís«) und dem höfisch-historischen Roman des Barock. Der Unterschied zu Barclays »Argenis« oder Anton Ulrichs »Aramena« besteht vor allem darin, daß Bucholtz' Helden den ritterlichen Typus verkörpern und nicht die höfische Gesellschaft des 17. Jahrhunderts repräsentieren. »Sie sind, soziologisch gesehen, durchaus unbarock, keine Fürsten, sondern Ritter.« (Weydt, Der dt. Roman, Sp. 1263). In der übersichtlichen Zeit- und Handlungsstruktur zeigen sich ebenfalls die engen Beziehungen zum Ritterroman des vorigen Jahrhunderts (Weydt, Der dt. Roman, Sp. 1264 f.). Auch die Romane *Lohensteins* und *Ziglers*, die oft in einem Atemzug mit denen Anton Ulrichs genannt werden, unterscheiden sich wesentlich von dem durch die »Aramena« repräsentierten Typus. Lohensteins »Arminius«, der nach G. Müllers Wort »eine eigene Gattung« verkörpert (Barockromane, S. 21), folgt formal dem höfisch-historischen Roman. Zugleich jedoch sprengt er die Romanform durch eingeschobene Lyrik und Theaterstücke und »überschreitet durch politisch-moralische Problemdispute, einen blumigen Fürstenspiegel (II 5), naturwissenschaftliche Referate und durch die breite Berücksichtigung historischer Fakten auch die Grenze von der Belletristik zum Sachbuch« (Asmuth, Lohenstein, S. 65). Bender weist auf die entscheidenden Unterschiede hin, die zwischen dem »Arminius« und den Romanen Anton Ulrichs bestehen. Während diese ein

Abbild der göttlichen Ordnung geben, spiegelt der Roman Lohensteins die politische Ordnung des 17. Jh.s (Festschrift Weydt, S. 398; vgl. auch Szarota). Kafitz folgt einer Anregung G. Müllers, der in der Disputation eine Grundform des Aufbaus des »Arminius« sieht (Barockromane, S. 21 f.), und macht Lohensteins »disputatorisches Verfahren« zum Ausgangspunkt einer Untersuchung, die die lehrhaften Partien und Streitgespräche des Romans geistig in die Nähe der Frühaufklärung rückt. Der »Asiatischen Banise« Ziglers, dem erfolgreichsten der höfisch-historischen Romane des Barock, liegt im Gegensatz zu den Romanen Anton Ulrichs »ein für Barockverhältnisse recht leicht überschaubares, relativ unkompliziertes individuelles Schicksal« zugrunde (Weydt, Der dt. Roman, Sp. 1270). Im Zusammenhang mit Gattungsfragen ist weniger Ziglers Sinn für äußerliche Effekte und theatralische Szenen als vielmehr die Einführung des humoristischen Knappen Scandor von Interesse. Durch diese Gestalt eines entfernten Verwandten von Sancho Pansa werden Züge des niederen Romans in die höfisch-historische Welt hineingetragen.

Eine noch größere Selbständigkeit gegenüber dem höfisch-historischen Roman im Sinn Anton Ulrichs beweisen *Grimmelshausen* und *Zesen*. Durch den engen Anschluß an die Bibel und sekundäre Quellen zeichnet sich Zesens »Assenat« durch relative Kürze, geringe Personenzahl und durch das Fehlen der für den höfisch-historischen Roman charakteristischen Verwirrungen und Verwicklungen aus. Auch in der Zeitstruktur unterscheidet sich die »Assenat« radikal vom Idealtyp des höfisch-historischen Romans. Das Hauptinteresse, das Zesen mit seiner Version der Josephsgeschichte verfolgt, gilt Joseph als Staatsmann. Dabei stehen nicht wie im herkömmlichen höfisch-historischen Roman »die heroischen und sittlichen Entscheidungen im Mittelpunkt, sondern die Sorge um ein spezifisch absolutistisch verstandenes Gemeinwohl«: »Der Staat und das Höfische sind nicht aus der idealisierenden Sicht der herrschenden Häupter, sondern aus der des dienenden Beamtentums gesehen, das an der Herrschaft teilhat und auf das ein Abglanz des von Gottes Gnaden regierenden Fürsten fällt.« (Meid, Heilige und weltliche Geschichten, S. 34). Legendenhafte Züge, heilsgeschichtliche Aspekte und Anzeichen einer christlich-asketischen Gegenbewegung innerhalb des Romans sorgen gleichzeitig für eine deutliche Relativierung der höfischen Welt (Meid, ebenda, S. 34 ff.). Im »Simson« schließlich, einem paradoxen Werk, in dem Höfisches und Antihöfisches unvermittelt einander gegenüberstehen, tritt der staatlich-politische Aspekt in den Hintergrund. Dagegen erhält die Typologie entscheidende strukturelle Bedeutung: es kommt zu

»einem Nebeneinander von romanhaft erzählter biblischer Geschichte und geistlicher Deutung« (Meid, ebenda, S. 46) – Strukturen des Bibelkommentars und der Erbauungsliteratur überkreuzen sich mit denen des höfisch-historischen Romans. Während in Zesens »Assenat« die legendenhaften Züge nur von untergeordneter Bedeutung sind, prägen sie weitgehend die ›Idealromane‹ Grimmelshausens: »Dietwalt und Amelinde« und »Proximus und Lympida« (Schäfer, Die sogen. heroisch-galanten Romane, S. 6f.). Man hat darin Unvermögen, aber auch eine ganz bewußte antihöfische Tendenz Grimmelshausens gesehen (Schäfer). Wenn man Grimmelshausens Josephsroman mit Zesens kunstvoll-gelehrter »Assenat« vergleicht, so wird jedenfalls deutlich, daß Grimmelshausen »in den Bahnen herkömmlichen bürgerlichen Erzählens« verbleibt (Weydt, Grimmelshausen, S. 99).

Während über die Außenseiterstellung von Grimmelshausens Idealromanen nie Unklarheit bestand, galten die Romane *Anton Ulrichs* ebenso unangefochten als idealtypische Verkörperungen des Barockromans. Jetzt versucht *F. Martini* diesen Glaubensartikel der Barockforschung zu erschüttern, indem er bezweifelt, daß Anton Ulrichs »Octavia« so einfach mit dem Typus des Barockromans gleichgesetzt werden könne. Er sieht in ihr – und auch in der »Aramena« – eine Stilhaltung am Werk, die deutlich der frühen Aufklärung zuzugehören scheint. Er führt dafür mehrere Gründe an. Entgegen der die herrschende Forschungsmeinung repräsentierenden These, daß der höfisch-historische Roman unfähig sei, »innere, seelische Vorgänge auch verinnerlicht darzustellen«, da es keine Charakterentwicklung gebe (Jungkunz, S. 148), vollziehe Anton Ulrichs Erzählung vom Tod Neros »einen deutlichen Schritt zur Darstellung einer individuell aufgefaßten, psychologisch in ihrer Subjektivität interpretierten Figur« (S. 62). Aus der immanent-kausalen Erzählweise Anton Ulrichs ergibt sich, daß die barocken Kategorien Verhängnis, Providenz und Fortuna an Geltung verlieren und als »dominierende Kräfte des Geschehens zugunsten dessen Begründung aus der Psychologie der erzählten Figuren« zurücktreten (S. 63). In anderem Zusammenhang hatte schon H. O. Burger darauf hingewiesen, wie der Barockroman unter den Händen Anton Ulrichs zerbricht und statt Providenz »die Härte und Heillosigkeit der Kausalität« zeigt (S. 103). Den zweiten Grund für eine Neubewertung sieht Martini in der Veränderung sprachlich-stilistischer Darstellungsformen des Barockromans in der »Octavia« (S. 64). Er weist auf die »auffallende Sprach- und Stilaskese gegenüber allen jenen Prinzipien der poetischen Eloquenz hin, die sonst für die barocke Dichtung in gebundener wie in ungebundener Rede, also auch für den Roman, verbindlich und musterhaft waren« (S. 67). Anton Ulrichs Erzählstil werde bestimmt vom Primat der Handlung, seine Erzählweise nähere »sich einem ›realistischen‹ Verfahren, dem es mit Rationalität um die Vergegenwärtigung der Sache« gehe (S. 75). Darin sieht Martini ein neues Verhältnis zur erzählten Sache und zur Sprache, das auf die frühe Aufklärung hinweise und sich somit von Stil und Erzählweise des barocken Romans distanziere (S. 76). Der Stil der »Octavia«, der erst durch den »bürgerlichen Literaten« Birken (S. 77) den letzten Schliff erhalten habe (zu Anton Ulrich und Birken vgl. Spahr und Haslinger, ebenso Birkens Tagebücher), folge den Prinzipien der Wahrscheinlichkeit, der Natürlichkeit und Simplizität, also denen einer klassizistischen Rhetorik, wie sie für die frühe Aufklärung verbindlich ist (S. 84 f.). Zwar ist Martini zuzustimmen, daß der sogenannte »höfische« Stil des 17. Jahrhunderts nichts schlechthin Einheitliches darstellt. Jedoch ist zu fragen, ob klassizistischer Stil unbedingt mit Aufklärung identifiziert werden muß und ob es nicht vielleicht eine klassizistische Strömung im 17. Jh. gibt, der nicht nur Birken und Anton Ulrich, sondern vielleicht auch Philipp von Zesen und andere angehören. Allerdings ist es um die Erforschung des deutschen Prosastils im 17. Jh. schlecht bestellt, so daß definitive Aussagen kaum möglich sind.

### *Erzählweise und Erzählformen des höfisch-historischen Romans*

Der Erzähler im höfisch-historischen Roman ist zum erstenmal von *Wolfgang Kayser* im Anschluß an eine Dissertation (Brögelmann) in autoritativer Weise behandelt worden. Am Beispiel *Lohensteins* charakterisiert er das Erzählen im Barockroman als »durchaus unpersönlich«: »Der Erzähler spricht gleichsam als ein Anonymus, der keinen eigenen Standpunkt als Person hat«, der keinen Kontakt mit dem Leser sucht, nicht mit eigenen Meinungen hervortritt und das Geschehen nicht mit persönlicher Anteilnahme begleitet (S. 9). Wichtig ist auch der Hinweis darauf, daß die Worte des Erzählers und die Taten der Romanpersonen kongruent seien (S. 11). *Haslinger* kommt am Beispiel *Anton Ulrichs* zu einem ähnlichen Ergebnis, nämlich zum Eindruck eines »neutralen, anonymen, distanzierten, aber doch wertenden Erzählens«, das sowohl der Er- als auch der Ich-Form in den Lebensgeschichten eigentümlich sei (S. 24). Millers Feststellung, daß wir es im Barockroman mit einer »erzählerlose[n] Romanform« zu tun haben, trifft in dieser Weise nicht zu (S. 51). Kayser räumt ein, daß im einzelnen zu differenzieren wäre; so zeige sich in der »Asiatischen Banise« eine leichte

Erweichung der starren Anonymität (S. 10). Ähnliches läßt sich auch für andere höfisch-historische Romane des 17. Jh.s zeigen (Bucholtz, Zesen). Kaysers Annahme, daß mit Wielands »Don Sylvio von Rosalva« (1764) unvermittelt der persönliche Erzähler und damit der moderne Roman hervortrete, ist anfechtbar. Wielands Roman hat durchaus Vorläufer (L. E. Kurth), und außerdem läßt Kayser ganze Romantraditionen, nämlich die des picarischen Romans und des roman comique, außer Betracht.

Haslingers umfassende Beschreibung der epischen Formen des höfisch-historischen Romans am Beispiel Anton Ulrichs kann sich auf zahlreiche Vorarbeiten stützen, die jedoch meist nur Teilaspekte behandeln (Hofter, Bender, Paulsen u. a.). Haslinger berücksichtigt zum erstenmal auch konsequent die Position des Lesers im höfisch-historischen Barockroman. Er prägt dabei den Begriff des Ausschnitts (S. 31 ff.). Für den Romanleser meint das den Erfahrungsausschnitt, den er von der Romanwelt besitzt und der sich mit der fortschreitenden Lektüre zunehmend vergrößert. Ähnliches gilt für die Romanpersonen, deren Ausschnitt sich ebenfalls schrittweise vergrößert. Durch die allmähliche Weltenthüllung durch den Dichter, »die zunehmende Vergrößerung des *Ausschnittes* im Leser und die Schicksalsentwirrung der einzelnen Romanperson« (S. 32), zwischen welchen Vorgängen »nicht Identität, sondern eine konstitutive Spannung« besteht (S. 33), entsteht die komplizierte Struktur des höfisch-historischen Romans. Das zunächst scheinbar sinn- und zusammenhanglose Gewebe von Beziehungen bezeichnet Haslinger als Oberflächenstruktur, die »schließlich als sinnvolles Spiegelbild der göttlichen Ordnung« (Tiefenstruktur) erstrahlt (S. 36). Im Bereich der Spannung zwischen Enthüllung der Fiktionswelt, der Ausschnittvergrößerung bei Leser und Romanperson »entfaltet der erzählende Dichter sein subtiles Spiel von Täuschung und Irrtum« (S. 36), dem sowohl die Romanpersonen als auch streckenweise der Leser unterworfen ist.

Durch die Divergenz der Ausschnitte entsteht Spannung. Es handelt sich nicht darum, daß der Ausgang der höfisch-historischen Romane offen sei – er ist gattungsbedingt glücklich –, sondern es geht um das ›Wie‹ des Ausgangs (vgl. Wieckenberg, S. 88 ff.). Während Lugowski mit dem Begriff der »Rätselspannung« das »eigentliche Baugesetz« der Romane Anton Ulrichs und damit des höfisch-historischen Barockromans fassen will (S. 378), weist Haslinger darauf hin, daß die Erzählspannung nur eines der fundamentalen Baugesetze der barocken Großromane sei (S. 66; zur Kritik an Lugowski vgl. auch Kimpel, S. 21 f.). Gegenüber dem Picaroroman mit seiner linearen, einfachen Komposition und entsprechend einfacher Spannungsstruktur erweisen sich die höfisch-historischen Barockromane als komplizierte architektonische Gebilde: der Gesamtbogen über das ganze Werk »wird in viele Teilbogen unterschiedlichster Größe und Intensität zerlegt« (S. 66). Da die kleinen Teilbogen ineinander und übereinander gelagert sind, da zudem viele Teillösungen Keime neuer Ungewißheit und Spannung enthalten und die Vorgänge in Gegenwartshandlung und Lebensgeschichten (Vorgeschichten) gleichrangig behandelt werden, entsteht eine komplexe Struktur, die allerdings nur an Beispielen anschaulich gemacht werden kann, nicht an einem der Großromane insgesamt (vgl. Haslinger, S. 68 unten). Haslinger hat gezeigt, daß das an einem Teilaspekt (Teilbogen) erkannte Spannungsgesetz zum Abbild der Gesamtanlage eines Romans werden kann. Zugleich wird wieder die Ausnahmestellung Anton Ulrichs deutlich, in dessen »Aramena« sich etwa ein Spannungsbogen über 2200 Seiten erstreckt (Haslinger, »Dies Bildnisz«, S. 96 ff.), während die Spannungsbogen bei Zigler und Bucholtz relativ kurz erscheinen (ebenda, S. 89 ff.; vgl. auch Weydts Beobachtungen zur Erzählstruktur der Romane von Bucholtz und Anton Ulrich: Der dt. Roman, Sp. 1264 ff.).

*Literatur:*


*Richard Alewyn:* Der Roman des Barock. In: Formkräfte der deutschen Dichtung vom Barock bis zur Gegenwart, hrsg. von Hans Steffen, 1963, [2]1967. S. 21–34.

*Martha Julie Deuschle:* Die Verarbeitung biblischer Stoffe im deutschen Roman des Barock. Diss. Amsterdam 1927.

*Adolf Haslinger:* »Dies Bildnisz ist bezaubernd schön«. Zum Thema ›Motiv und epische Struktur‹ im höfischen Roman des Barock. In: Literaturwiss. Jb. der Görres-Gesellschaft 9, 1968, S. 83–140.

*Wolfgang Kayser:* Entstehung und Krise des modernen Romans. [5]1968 (zuerst in DVjs. 28, 1954, S. 417–446).

*Dieter Kimpel:* Der Roman der Aufklärung. 1967 (M 68).

*Lieselotte E. Kurth:* W. E. N. – Der Teutsche Don Quichotte, oder die Begebenheiten des Marggraf von Bellamonte. Ein Beitrag zur Geschichte des deutschen Romans im 18. Jh. In: Jb. der dt. Schillergesellschaft 9, 1965, S. 106–130.

*Günther Müller:* Barockromane und Barockroman. In: Literaturwiss. Jb. der Görres-Gesellschaft 4, 1929, S. 1–29.

*Herbert Singer:* Die Prinzessin von Ahlden. Verwandlungen einer höfischen Sensation in der Literatur des 18. Jh.s. In: Euphorion 49, 1955, S. 305–334.

*Max Wehrli:* Der historische Roman. Versuch einer Übersicht. In: Hélicon 3, 1940, S. 89–109.

*Brögelmann* (wie S. 17); *Burger* (wie S. 34); *Cholevius; Lugowski:* Enträtselung (wie S. 8); *Lugowski:* Individualität (wie S. 11); *Miller; Singer:*

Roman zwischen Barock und Rokoko; *Singer:* Der galante Roman; *Weydt:* Der dt. Roman.
Dazu die am Ende des ersten Kapitels genannten Werke.

### *Anton Ulrich*

*Kurt Adel:* Novellen des Herzogs Anton Ulrich von Braunschweig-Wolfenbüttel. In: ZfdPh 78, 1959, S. 349–369.

*Wolfgang Bender:* Herzog Anton Ulrich von Braunschweig-Wolfenbüttel. Biographie und Bibliographie zu seinem 250. Todestag. In: Philobiblon 8, 1964, S. 166–187.

*Ders.:* Verwirrung und Entwirrung in der »Octavia / Roemische Geschichte« Herzog Anton Ulrichs von Braunschweig. Diss. Köln 1964.

*Elisabeth Erbeling:* Frauengestalten in der »Octavia« des Anton Ulrich von Braunschweig. 1939, Reprint 1967.

*Reinhard Fink:* Die Staatsromane des Herzogs Anton Ulrich von Braunschweig. In: Zs. für dt. Geisteswissenschaft 4, 1941, S. 44–61.

*Harry G. Haile:* »Octavia: Römische Geschichte« – Anton Ulrich's Use of the Episode. In: JEGP 57, 1958, S. 611–632.

*Ders.:* The Technique of Dissimulation in Anton Ulrich's »Octavia: Römische Geschichte«. Diss. Univ. of Illinois 1957 (DA 17, 1957, S. 2609 f.).

*Adolf Haslinger:* Epische Formen im Barockroman. Anton Ulrichs Romane als Modell. 1970.

*Clemens Heselhaus:* Anton Ulrichs »Aramena«. Studien zur dichterischen Struktur des deutschbarocken ›Geschichtgedicht‹. 1939.

*Karin Hofter:* Vereinzelung und Verflechtung in Herzog Anton Ulrichs »Octavia. Römische Geschichte«. Diss. Bonn 1954 (Masch.).

*Fritz Mahlerwein:* Die Romane des Herzogs Anton Ulrich von Braunschweig-Wolfenbüttel. Diss. Frankfurt a. M. 1922 (Masch.).

*Fritz Martini:* Der Tod Neros. Suetonius, Anton Ulrich von Braunschweig, Sigmund von Birken oder: Historischer Bericht, erzählerische Fiktion und Stil der frühen Aufklärung. In: Probleme des Erzählens in der Weltliteratur. In: Festschrift für Käthe Hamburger, hrsg. von Fritz Martini. 1971. S. 22–86.

*Carola Paulsen:* »Die Durchleuchtigste Syrerin Aramena« des Herzogs Anton Ulrich von Braunschweig und »La Cleopâtre« des Gautier Coste de la Calprenède. Ein Vergleich. Diss. Bonn. 1956 (Masch.).

*Karl Reichert:* Das Gastmahl der Crispina in Anton Ulrichs »Römischer Octavia« – der erste deutsche novellistische Rahmenzyklus. In: Euphorion 59, 1965, S. 135–149.

*Ferdinand Sonnenburg:* Herzog Anton Ulrich von Braunschweig als Dichter. 1896.

*Blake Lee Spahr:* Anton Ulrich and Aramena. The Genesis and Development of a Baroque Novel. Berkeley, Los Angeles 1966.

*Maria Vollmary:* Natur in Anton Ulrichs »Aramena« und Grimmelshausens »Simplicissimus«. Diss. Münster 1941 (Masch.).

*Hanna Wippermann:* Herzog Anton Ulrich von Braunschweig: »Octavia. Römische Geschichte«. (Zeitumfang und Zeitrhythmus). Diss. Bonn 1948 (Masch.).

Leibnizens Briefwechsel mit dem Herzog Anton Ulrich von Braunschweig-Wolfenbüttel, hrsg. von *Eduard Bodemann.* In: Zs. des historischen Vereins für Niedersachsen 1888, S. 73–244.

*Bucholtz*

*Ulrich Maché:* Die Überwindung des Amadisromans durch Andreas Heinrich Bucholtz. In: ZfdPh 85, 1966, S. 542–559.
*Ders.:* Vorwort zu: A. H. Bucholtz: »Herkules« (s. S. 4).
*Walter Ernst Schäfer:* Hinweg nun Amadis und deinesgleichen Grillen! Die Polemik gegen den Roman im 17. Jh. In: GRM NF 15, 1965, S. 366–384.
*Friedrich Stöffler:* Die Romane des Andreas Heinrich Bucholtz (1607–1671). Ein Beitrag zur Literaturgeschichte des 17. Jh.s. Diss. Marburg 1918.

*Grimmelshausen*

*Edith Holzer:* Das Kulturbild in Grimmelshausens Josef-Romanen. Diss. Wien 1953 (Masch.).
*Gudrun Iber:* Studien zu Grimmelshausens »Josef« und »Musai« mit einem Neudruck des »Musai«-Textes nach der Erstausgabe von 1670. Diss. Bonn 1958.
*Eberhard Köhler:* Die beiden Idealromane von Hans Jacob Christoffel von Grimmelshausen. Diss. Jena 1965 (Masch.).
*Ilse-Lore Konopatzki:* Grimmelshausens Legendenvorlagen. 1965.
*Karl Ortel:* »Proximus und Lympida«. Eine Studie zum idealistischen Roman Grimmelshausens. 1936, Reprint 1967.
*Walter Ernst Schäfer:* Die sogenannten ›heroisch-galanten‹ Romane Grimmelshausens. Untersuchungen zur antihöfischen Richtung im Werk des Dichters. Diss. Bonn 1957 (Masch.).
*Clara Stucki:* Grimmelshausens und Zesens Josephsromane. Ein Vergleich zweier Barockdichter. 1933.
*Günther Weydt:* Hans Jacob Christoffel von Grimmelshausen. 1971 (M 99).

*Lohenstein*

*Bernhard Asmuth:* Daniel Casper von Lohenstein. 1971 (M 97).
*Ders.:* Lohenstein und Tacitus. Eine quellenkritische Interpretation der Nero-Tragödien und des »Arminius«-Romans. 1971.
*Wolfgang Bender:* Lohensteins »Arminius«. Bemerkungen zum »Höfisch-Historischen« Roman. In: Festschrift Weydt, S. 381–410.

*Herbert Jacob:* Lohensteins Romanprosa. Der Stil eines Barockschriftstellers. Diss. Berlin 1949 (Masch.).
*Dieter Kafitz:* Lohensteins »Arminius«. Disputatorisches Verfahren und Lehrgehalt in einem Roman zwischen Barock und Aufklärung. 1970.
*Luise Laporte:* Lohensteins »Arminius«. Ein Dokument des deutschen Literaturbarock. 1927, Reprint 1967.
*Gerhard Spellerberg:* Verhängnis und Geschichte. Untersuchungen zu den Trauerspielen und dem »Arminius«-Roman Daniel Caspers von Lohenstein. 1970.
*Elida Maria Szarota:* Lohensteins »Arminius« als Zeitroman. Sichtweisen des Spätbarock. 1970.
*Dies.:* Lohenstein und die Habsburger. In: Colloquia Germanica 1, 1967, S. 263–309.
*Edward Verhofstadt:* Daniel Casper von Lohenstein: Untergehende Wertwelt und ästhetischer Illusionismus. Fragestellung und dialektische Interpretationen. Brugge 1964.
*Wilhelm Voßkamp:* Untersuchungen zur Zeit- und Geschichtsauffassung im 17. Jh. bei Gryphius und Lohenstein. 1967.
*Max Wehrli:* Das barocke Geschichtsbild in Lohensteins »Arminius«. 1938.

*Zesen*

*Paul Baumgartner:* Die Gestaltung des Seelischen in Zesens Romanen. 1942.
*Willi Beyersdorff:* Studien zu Philipp von Zesens biblischen Romanen »Assenat« und »Simson«. 1928.
*Herbert Blume:* Die dänischen Übersetzungen von Zesens Roman »Assenat«. In: Nerthus 2, 1969, S. 79–93.
*Kaspar Gartenhof:* Die bedeutendsten Romane Philipps von Zesen und ihre literargeschichtliche Stellung. Programm Nürnberg 1912.
*Ferdinand van Ingen:* Philipp von Zesen. 1970 (M 96).
*Klaus Kaczerowsky:* Bürgerliche Romankunst im Zeitalter des Barock. Philipp von Zesens »Adriatische Rosemund«. 1969.
*Hans Körnchen:* Zesens Romane. Ein Beitrag zur Geschichte des Romans im 17. Jh. 1912.
*Eberhard Lindhorst:* Philipp von Zesen und der Roman der Spätantike. Ein Beitrag zu Theorie und Technik des barocken Romans. Diss. Göttingen 1955 (Masch.).
*Volker Meid:* Zesens Romankunst. Diss. Frankfurt a. M. 1966.
*Ders.:* Nachwort zu Zesen, Assenat (s. S. 6).
*Ders.:* Barockroman und Erbauungsliteratur. Quellenmaterial zu Zesens »Simson«. In: Levende Talen 265, 1970, S. 125–141.
*Ders.:* Heilige und weltliche Geschichten: Zesens biblische Romane. In: Philipp von Zesen 1619–1969, S. 26–46.
*Hans Obermann:* Studien über Philipp Zesens Romane. Diss. Göttingen 1933.
*Karl F. Otto:* Philipp von Zesen. A Bibliographical Catalogue. 1972.

*Franz Günter Sieveke:* Philipp von Zesens »Assenat«. Doctrina und Eruditio im Dienste des ›Exemplificare‹. In: Jb. der dt. Schillergesellschaft 13, 1969, S. 115–136. Auch in: Philipp von Zesen 1619–1969, S. 137–155.
*Clara Stucki:* Grimmelshausen (s. S. 59).

*Zigler*

*G. Müller-Frauenstein:* Über Ziglers »Asiatische Banise«. In: ZfdPh 22, 1890, S. 60–92 und S. 168–213.
*Wolfgang Pfeiffer-Belli:* Die asiatische Banise. Studien zur Geschichte des höfisch-historischen Romans in Deutschland. 1940, Reprint 1969.
*Martin Pistorius:* Heinrich Anselm von Ziegler und Klipphausen. Sein Leben und seine Werke mit besonderer Berücksichtigung der »asiatischen Banise« nebst ihrer Fortsetzung, ihren Nachahmungen und Bearbeitungen. Diss. Jena 1928 (Teildruck).
*Rudolf Röder:* Barocker Realismus in der »Asiatischen Banise«. Diss. Erlangen 1948 (Masch.).
*Erika Schön:* Der Stil von Zieglers »Asiatischer Banise«. Diss. Greifswald 1933.
*Eva-Maria Schramek:* Die Komposition der »Asiatischen Banise« von Anselm Heinrich von Ziegler und Klipphausen. Diss. Wien 1971 (Masch.).
*Elisabeth Schwarz:* Der schauspielerische Stil des deutschen Hochbarock beleuchtet durch Heinrich Anselm von Ziglers »Asiatische Banise«. Diss. Mainz 1955 (Masch.).

## 2. *Spätformen des höfisch-historischen Romans*

In diese Gruppe fällt eine Reihe von Romanen, die zwar äußerlich das Schema des höfisch-historischen Romans verwenden, aber die ethischen und theologischen Gattungsvoraussetzungen ignorieren oder neutralisieren. Die Bezeichnung Spätform muß dabei nicht unbedingt auf ein chronologisch spätes Erscheinungsdatum verweisen. Neben Schriftstellern, von denen nur ihre Pseudonyme bekannt sind, können zu dieser Gruppe gerechnet werden: *Eberhard Guerner Happel* (1647–1690), *Ernst Jacob von Autorff* (1639–1705), *Joachim Meier* (1661–1732) und *Georg Christian Lehms* (1684–1717).

Von *Eberhard Guerner Happel* sind zwölf Romane überliefert (vollständige Titel bei Schuwirth, S. 42 ff.):
»Der Asiatische Onogambo«, 1673.
»Der Europäische Toroan«, 1676.
»Sogenannter Christlicher Potentaten-Kriegs-Roman«, 1680/81.
»Der Insulanische Mandorell«, 1682.
»Italiänischer Spinelli«, 1685/86.

»Der Spanische Quintana«, 1686/87.
»Der Frantzösische Cormatin«, 1687/88.
»Der Ottomanische Bajazet«, 1688/89.
»Der Ungarische Kriegs-Roman«, 1685/89.
»Africanischer Tarnolast«, 1689.
»Teutscher Carl«, 1690.
»Der Academische Roman«, 1690.

*Ernst Jacob von Autorff:*
»Die Durchlauchtigste Olorena«, 1694 (5. Buch von August Bohse).
»Publius Cornelius Scipio der Africaner Helden und Liebes-Geschichte«, 1696/98.

*Joachim Meiers* fünf Romane tragen die Titel (vollständig bei Hayn-Gotendorf I 574, III 430, VII 651 f.):
»Joachim Meiers ... Durchl. Römerin Lesbia«, 1690.
»Die Durchlauchtigste Hebreerinnen Jiska Rebekka Rahel Assenat und Seera In einem vortrefflichen Roman, Oder angenehmen Helden-Geschichte«, 1697.
»Die Durchläuchtigste Polnische Venda«, 1702.
»Die Amazonische Smyrna«, 1705.
»Die Römerin Delia«, 1707.

*Georg Christian Lehms* verfaßte vier biblische Romane (vollständige Titel bei Hayn-Gotendorf VI 12 ff.):
»Die unglückselige Prinzeßin Michal und der verfolgte David«, 1707.
»Des Israelitischen Printzens Absalons und Seiner Princessin Schwester Thamar Staats- Lebens- und Helden-Geschichte«, 1710.
»Der Weise König Salomo, In einer Staats- und Helden-Geschichte«, 1712.
»Der schönen und liebenswürdigen Esther merckwürdige und angenehme Lebensgeschichte«, 1713.

*Herbert Singer* weist darauf hin, daß schon bald nach 1670 die traditionellen Romantypen sich verändern oder zerfallen (Der galante Roman, S. 19). Schon bei *Happel* werde »das Handlungsgerüst des höfisch-historischen Romans fadenscheinig und mit wahllos zusammengerafften Mengen von historischen, geographischen, kuriosen und exotischen Realien ausgestopft« (S. 19); auf ihn, nicht auf die Hauptvertreter des höfisch-historischen Romans passe *Eichendorffs* Wort von den »tollgewordenen Realenzyklopädien«. Auf diese Weise gelangte auch *Huets* Traktat über den Ursprung der Romane nach Deutschland, als Exkurs im »Insulanischen Mandorell« (vgl. oben S. 37). – Besonders Geschichte und Geographie spielen eine große Rolle in Happels Romanen. Auf der einen Seite stehen die europäischen Geschichts- und die Kriegsromane, auf der anderen die Helden- und Liebesgeschichten, die in verschiedenen Kontinenten spielen. Man hat darauf hingewiesen, daß die Trennung der Liebenden um so länger dauert, je mehr Länder und Städte Happel in seinem Drang nach Vollständigkeit beschreiben will (Lock, S. 84).

*Joachim Meier* geht mit der Haltung des Gelehrten an seine Romane heran. Er wählt ein bestimmtes Gebiet (etwa die Gedichte Catulls) und sucht dies dann in der Form des Romans bekanntzumachen. Die Form ist noch die des höfisch-historischen Romans, die Meier zwar vereinfacht und durch reichlich eingestreuten anekdotischen und historischen Stoff auflockert, grundsätzlich aber beibehält. Konzessionen an den »galanten« Geschmack seiner Zeit kommen allenfalls im Titel vor, so in Umbenennungen späterer Auflagen (Singer, Der galante Roman, S. 32). In der Nachfolge von Meiers »Durchlauchtigsten Hebreerinnen«, die fünf Kurzromane in einem Band vereinigen, stehen die biblischen Romane von *Lehms*.

*Ernst Jacob von Autorff* schildert in seiner »Olorena« die Zeitereignisse von 1660 bis 1680 (bzw. bis 1690 im 5. Buch von Bohse), wobei das Hauptgewicht auf der Darstellung der nur flüchtig verschlüsselten politisch-militärischen Vorgänge der Zeit liegt (Heiduk, S. 9). Auch der »Scipio« bietet politischen Anschauungsunterricht. Durch die Hineinnahme der gesamten römischen Geschichte nimmt der Roman »den Charakter eines erzählerisch gestalteten Lehrbuchs an« (Heiduk, S. 11).

Mit den Werken von Meier, Autorff und Lehms ist die Gattung des höfisch-historischen Romans noch nicht erschöpft. Romane, die dem Schema dieses Typus folgen, werden noch bis über die Mitte des 18. Jh.s hinaus produziert. Eine Auswahl von siebzehn Titeln führt Singer an. Es handelt sich um Romane, die zwischen 1699 und 1754 erschienen sind (Der galante Roman, S. 29f.). Hier seien nur vier Titel ausgewählt:

*Herolander,* »Die unvergleichliche Helden-Thaten ... Des Durchlauchtigsten Sächß. Königes Hengisto«, 1699.
*Lycosthenes,* »Der Durchlauchtigste Arbaces ... Nebst seiner Durchlauchtigen Damaspia«, 1726.
*Ethophilus,* »Die Liebes- und Helden-Geschichte des tapfern Bellerophon mit seiner unvergleichlichen Philonoë«, 1743.
*C. E. F. (Christian Ernst Fidelinus),* »Die Engeländische Banise«, 1754.

Diese Romane übernehmen das überlieferte Schema, füllen es aber jeweils auf ihre Weise aus. Singer weist darauf hin, wie die Elemente der überlieferten Gattung »die seltsamsten Mischungen und Verbindungen mit ganz heterogenen Komponenten« eingehen (Roman zwischen Barock und Rokoko, S. 96). In der »Engeländischen Banise« werden unmotiviert possenhafte Episoden eingeschoben, der »Bellerophon« mit seiner am höfisch-historischen Roman orientierten Handlung wird »mit zahlreichen fettgedruckten Maximen aufklärerisch-didaktischer Provenienz« ausgestattet, die zu dem Roman selbst in krassem Widerspruch stehen (Der galante Roman, S. 30).

Der Verfall der Gattung des höfisch-historischen Romans ist seit 1690 unverkennbar. Der galante Roman scheint dazu bestimmt, ihn abzulösen. In Wirklichkeit überlebt der höfisch-historische Roman den modischen galanten Roman, der bald nach 1720 versiegt, um mindestens 30 Jahre.

*Literatur:*

*Franz Heiduk:* Ernst Jacob Autorff. Ein unbekannter schlesischer Romanautor. In: Schlesien 14, 1969, S. 7–14.

*Gerhard Lock:* Der höfisch-galante Roman des 17. Jh.s bei Eberhard Werner Happel. Diss. Berlin 1939.

*Theo Schuwirth:* Eberhard Werner Happel (1647–1690). Ein Beitrag zur deutschen Literaturgeschichte des 17. Jh.s. Diss. Marburg 1908.

*Deuschle* (wie S. 57); *Singer:* Roman zwischen Barock und Aufklärung; *Ders.:* Der galante Roman.

## *3. Der galante Roman*

Es ist das Verdienst *Herbert Singers,* die Lücke in der literarhistorischen Überlieferung und Forschung zwischen den in den neunziger Jahren entstandenen Romanen *Bohses* und *Gellerts* »Schwedischer Gräfin« von 1747/48 überbrückt zu haben. Es ist ihm jedoch nicht gelungen, Frühformen des empfindsamen Romans zu entdekken (Roman zwischen Barock und Rokoko, S. 8), so daß Cohns Vermutung, »daß vom galanten Roman des 17. Jahrhunderts eine direkte Linie über Richardson zu Gellert« führe, nicht bewiesen werden kann (S. 123; vgl. die radikale Kritik der Kontinuitätsthese bei Miller, S. 87f. und 359f.).

Der galante Roman geht vom höfisch-historischen (»heroisch-galanten«) Roman aus. *August Bohse* (1661–1742), der unter dem Pseudonym *Talander* der erste gutbezahlte Unterhaltungsschriftsteller in der deutschen Literaturgeschichte wurde, bahnte die Entwicklung an, die vom höfisch-historischen zum galanten Roman führte. Neben Übersetzungen von Barclays »Argenis«, den »Lettres portugaises«, Madame de La Fayettes »Princesse de Montpensier« und Fénelons »Télémaque« und zahlreichen anderen Werken verfaßte Bohse insgesamt 14 Romane, die fast alle zwischen 1685 und 1700 erschienen sind (Kurztitel bei Singer, Der galante Roman, S. 33 f., und Rötzer; vollständige Titel in der Bohse-Spezialliteratur):

»Talanders Liebes-Cabinet der Damen«, 1685.
»Unglückliche Prinzessin Arsinoe«, 1687.
»Der Durchlauchtigsten Alcestis aus Persien und ihres Tapffern Printzen Arsaces Liebes und Heldengedichte«, 1696 (Der Band vereinigt zwei Romane: »Alcestis« erschien zuerst 1689, »Arsaces« 1691).
»Amor An Hofe«, 1689.
»Die Eifersucht der Verliebten«, 1689.
»Der getreuen Bellamira wohlbelohnte Liebes-Probe«, 1692.
»Schauplatz der Unglückselig-Verliebten«, 1693.
»Aurorens / Königlicher Princeßin aus Creta Staats- und Liebes-Geschichte«, 1695.
»Der Liebe Irregarten«, 1696.
»Die Amazoninnen aus dem Kloster«, 1696.
»Die getreue Sclavin Doris«, 1696.
»Die Liebenswürdige Europäerin Constantine«, 1698 (von Bohse nicht anerkannt).
»Ariadnens / Königlicher Printzeßin von Toledo, Staats- und Liebes-Geschichte«, 1699.
»Talanders Letztes Liebes- und Helden-Gedicht«, 1706; »Antonio da Palma«, 1709 (= 2. Teil des vorigen Romans).

Bohse unterscheidet sich von seinem Zeitgenossen Meier dadurch, daß er nicht bei der bloßen Kopie des Schemas des höfisch-historischen Romans stehenbleibt, sondern neue Akzente setzt. Die Idee des Romans als Theodizee tritt zurück, »die Verwirrungen des Weltgetriebes [werden] zum eigentlichen Gegenstand des Interesses« (Singer, Der galante Roman, S. 34 f.). Doch auch die Welt ändert ihren Charakter: das ›heroische‹ Element – Rittertum, Staatsgeschehen – tritt zurück zugunsten der Darstellung von Liebesverwicklungen. Schon in Bohses Romantiteln wird die Welt interpretiert als »Liebes-Cabinet« und »Der Liebe Irregarten«. »Damit ist eine Entwicklung angebahnt, die geradeswegs auf den galanten Roman hinführt, dem Bohse als Vorbild und Wegbereiter gilt. Was Weise, Beer, Riemer und andere für die nichthöfischen Romantypen leisten, besorgt Bohse für den höfischen: die Säkularisierung des Romans.« (Singer, Der galante Roman, S. 35).

August Bohse findet in *Christian Friedrich Hunold* (1681–1721), der sich als *Menantes* bezeichnet, seinen Nachfolger. Neben zahlreichen Werken anderer Art wie Opernlibretti und Briefstellern hat Hunold vier Romane verfaßt, die eine große Zahl von Auflagen erlebten (vollständige Titel bei Vogel, S. 51 ff.; Wagener, S. 112 f.).

»Die Verliebte und Galante Welt In vielen annehmlichen und warhaftigen Liebes-Geschichten«, 1700.
»Die Liebens-Würdige Adalie«, 1702.
»Der Europäischen Höfe Liebes- und Helden-Geschichte«, 1705.
»Satyrischer Roman«, 1706.

»Die Verliebte und Galante Welt« und die »Europäischen Höfe« sind nach *Singers* Darstellung kaum mehr als Romane, sondern als »Agglomerate von wahren oder halbwahren Hofgeschichten, oberflächlich verschlüsselt«, zu bezeichnen (Der galante Roman, S. 38). Der »Satyrische Roman«, der skandalöse Vorgänge der Hamburger Gesellschaft ans Licht zieht, verbindet Klatschgeschichten mit Elementen des galanten Romans und des Abenteuerromans. Hingegen repräsentiert die »Liebens-Würdige Adalie« den Typ des galanten Romans. In diesem Romantyp, der die Welt als »Liebes-Cabinet« darstellt und in dem der listige Amor den Platz der Fortuna des höfisch-historischen Romans eingenommen hat, stehen die »labyrinthischen Verwicklungen der erotischen Beziehungen« im Mittelpunkt (Singer, Der galante Roman, S. 45). Die christlich-stoischen Wertvorstellungen des höfisch-historischen Romans zerbrechen. Dahinter zeigt sich eine Gesellschaft, die nicht mehr die göttliche Ordnung repräsentiert, sondern sich selbst als Maß setzt und absoluten Konformismus verlangt. Sich der Gesellschaft »anzupassen und einzuordnen ist die erste und einzige Forderung, die die Bewohner der Romanwelt Hunolds und seiner Nachfolger zu erfüllen haben« (Singer, Der galante Roman, S. 49). Der frivole Charakter, die vollkommene moralische Gleichgültigkeit und das obligatorische gute Ende, das nicht wie im höfisch-historischen Roman als Lohn der Tugend anzusehen ist, veranlaßten Singer, den galanten Roman als Komödienroman zu bezeichnen (Der galante Roman, S. 50 ff.).

Neben Bohse und Hunold sind als Verfasser galanter Romane noch *Johann Leonhard Rost* (1688–1727, *Meletaon*), *Melisso* (jetzt von J. Erhard und A. Haslinger als *Michael Erich Franck* identifiziert), *Johann Gottfried Schnabel* (1692–1752) und *Selamintes* zu nennen. Von Rost stammen mit Gewißheit wenigstens neun Romane (Bibliographie bei Singer, Der galante Roman, S. 55;

Hayn-Gotendorf IV, S. 472 ff.), die alte und neue Elemente, solche des traditionellen Liebes- und Heldenromans und des galanten Romans miteinander verbinden. Reinere Ausprägungen des »Komödienromans« sieht Singer im Roman von Selamintes, »Der Närrische und doch Beliebte Cupido« (1713), und in »Des glückseeligen Ritters Adelphico Liebes- und Glücks-Fälle« (1715) von Melisso-Franck, von dem vier weitere Romane bekannt sind (Erhard/Haslinger, S. 449). Hingegen weist Schnabels Roman »Der im Irr-Garten der Liebe herum taumelnde Cavalier« (1738) schon didaktisch-moralisierende Tendenzen auf, die bereits »den 1740 einsetzenden bürgerlichen Aufklärungsroman ankündigen« (Kimpel, S. 21).

*Literatur:*


*Herbert Singer:* Der galante Roman. 1961. [2]1966 (M 10).
*Ders.:* Der deutsche Roman zwischen Barock und Rokoko. 1963.
*Ulrich Wendland:* Die Theoretiker und Theorien der sogen. galanten Stilepoche und die deutsche Sprache. Ein Beitrag zur Erkenntnis der Sprachreformbestrebungen vor Gottsched. 1930.
*Kimpel* (wie S. 57); *Miller; Rötzer:* Roman des Barock (wie S. 9).

*Liselotte Brögelmann:* Studien zum Erzählstil im ›idealistischen‹ Roman von 1643–1733 (mit besonderer Berücksichtigung von August Bohse). Diss. Göttingen 1953 (Masch.).
*Josef Erhard / Adolf Haslinger:* Wer ist Melisso, der Autor des »Adelphico«? Zur Verfasserfrage und zum Gattungsproblem eines galanten Romans. In: Europäische Tradition, S. 449–469.
*Otto Heinlein:* August Bohse-Talander als Romanschriftsteller der galanten Zeit. Diss. Greifswald 1939.
*Ernst Schubert:* Augustus Bohse genannt Talander. Ein Beitrag zur Geschichte der galanten Zeit in Deutschland. 1911.
*Marianne Spiegel:* Der Roman und sein Publikum im früheren 18. Jh. 1700–1767. 1967.
*Heinrich Tiemann:* Die heroisch-galanten Romane August Bohses als Ausdruck der seelischen Entwicklung in der Generation von 1680 bis 1710. Diss. Kiel 1932.
*Hermann Vogel:* Christian Friedrich Hunold (Menantes). Sein Leben und seine Werke. Diss. Leipzig 1897.
*Hans Wagener:* Die Komposition der Romane Christian Friedrich Hunolds. Berkeley, Los Angeles 1969.


## 4. *Der Schäferroman*

Der deutsche Schäferroman des 17. Jh.s läßt sich nicht einfach als eine Fortsetzung der durch Übersetzungen eingeführten ausländischen Schäferromane betrachten. Die Großform des Schäferromans (*Montemayors* »Diana«, *d'Urfés* »Astrée«) findet keinen Vertreter in Deutschland. Statt dessen entfalten sich Sonderformen, die von *Heinrich Meyer* in seiner grundlegenden Darstellung erfaßt worden sind. Meyer erkennt zwei Hauptstränge schäferlicher Prosadichtung in Deutschland. Die erste Gruppe, die er »Schäferroman als Gesellschaftsdichtung« nennt, umfaßt Werke wie *Opitz'* »Schäfferey Von der Nimfen Hercinie« (1630) und die von dieser Schäferei ausgehende Tradition. Garber u. a. erheben zu Recht Einspruch gegen die Verwendung des Begriffs Roman für die hier gemeinten Werke. Die Aufmerksamkeit muß sich also auf die zweite Gruppe richten, die Meyer unter die Bezeichnung »Individualdichtung« stellt und die von Arnold Hirsch und Gisela Heetfeld zum Gegenstand von weiteren Untersuchungen gemacht worden ist.

Die wichtigsten deutschen Schäferromane, von denen einige beträchtliche Auflagenzahlen erreichten, sind:

»Jüngst-erbawete Schäfferey / Oder Keusche Liebes-Beschreibung / Von der Verliebten Nimfen Amoena, Vnd dem Lobwürdigen Schäffer Amandus«, 1632.
*Christian Brehme* (?), »Winter-Tages Schäfferey Von der schönen Coelinden und deroselben ergebenen Schäffer Corimbo«, 1636.
*Ders.*, »Die Vier Tage Einer Newen und Lustigen Schäfferey / Von der Schönen Coelinden Vnd Deroselben ergebenen Schäffer Corymbo«, 1647.
»Die verwüstete vnd verödete Schäferey / Mit Beschreibung deß betrogenen Schäfers Leorianders Von seiner vngetrewen Schäferin Perelina«, 1642.
*Jakob Schwieger*, »Verlachte Venus«, 1659.
*Ders.*, »Die verführte Schäferin Cynthie Durch Listiges Nachstellen des Floridans«, 1660.
»Zweyer Schäfer Neugepflanzter Liebes-garten«, 1661.
*Johann Thomas*, »Damon und Lisille«, 1663.
»Thorheit der Verliebten / In einem Schäffergedichte vorgestellet«, 1668.

Die genannten Werke weisen, bei aller Verschiedenheit im einzelnen, wesentliche strukturelle und inhaltliche Gemeinsamkeiten auf. Im Gegensatz zum öffentlich-repräsentativen höfisch-historischen Roman und dem mit ihm verknüpften höfisch-aristokratischen Schäferroman eines Montemayor oder d'Urfé zielen die Individual-Schäfereien auf die Schilderung der Liebe als »Privat-werck« mit autobiographischem Hintergrund (Vorrede zu »Die verwüstete vnd verödete Schäferey«, in: Schäferromane des Barock, ed. Kaczerowsky, S. 99). Der Gegensatz zum höfisch-historischen Roman und den ihm nahestehenden Schäferromanen besteht jedoch nicht nur darin, daß eine private Liebesgeschichte erzählt wird, sondern auch in der Art der Darstellung und ihrem Ausgang: Die Liebe wird als starke, verderbliche Macht empfunden, der sich niemand entziehen kann. Sie wird jedoch schließlich durch die Vernunft reguliert, der junge Mann findet sein Gleichgewicht wieder. Daher enden diese Romane im schroffen Gegensatz zum höfisch-historischen Roman mit der Trennung des Liebespaars. Obwohl der deutsche Schäferroman mit seinem traurigen Ende zur Sentimentalität gleichsam prädestiniert scheint, bleibt diese Tatsache »ohne Konsequenzen für eine differenzierte Behandlung seelischen Erlebens« (v. Ingen S. 296). Ausnahme von der Regel des unglücklichen Ausgangs ist *Johann Thomas'* Roman »Damon und Lisille«, der die glückliche Beziehung zweier Menschen in der Ehe auffallend unkonventionell und mit psychologischem Einfühlungsvermögen gestaltet.

*Hirsch* hat nachgewiesen, daß der deutsche Schäferroman im Gegensatz zu seinen europäischen Vorbildern dem Landadel als sozialer Schicht zuzuordnen ist (S. 89ff.). »Die Schäferromane sind nicht nur durch ihre Stoffe vom Staats- und Liebesroman unterschieden, sie zeigen einen Menschentyp von anderer seelischer Struktur: unhöfische Menschen, unhöfische Schicksale, unhöfische Seelenlagen. Im Schäferroman fehlt vor allem die ethische Stilisierung des Lebens, die das Kennzeichen der höfischen Kultur ist; es fehlt das höfische Ethos und damit auch die für diese Kultur entscheidende menschliche Haltung.« (Hirsch, S. 92). Zu dem Gegensatz zum höfisch-historischen Roman gehört auch ein neues Verhältnis zur Wirklichkeit, das Hirsch mit den Begriffen Erlebnisdarstellung und Realismus bezeichnet (S. 92). *Kaczerowskys* Formulierung, daß die Individualromane »zu den frühesten literarischen Dokumenten der bürgerlichen Kultur in Deutschland« gehören (Nachwort, S. 242), scheint nicht haltbar. Nur einige Romane, die im Studentenmilieu spielen, erstehen aus dem bürgerlichen Lebenskreis. Als Beispiele führt Hirsch zwei Romane an (S. 97ff.): *Andreas Hartmann*, »Des Hylas auss Latusia Lustiger Schau-Platz Von einer Pindischen Gesellschaft« (1650); »Der Steigende und Fallende Selimor ... herausgegeben von Wartreu« (1691). Neuere Forschungen ergänzen und korrigieren das von Meyer und Hirsch entworfene Bild in Einzelheiten. *Gisela Heetfelds* Untersuchungen machen es fraglich, ob das Urteil Hirschs über die ganze Romangruppe – »unhöfische Menschen, unhöfische Schicksale, unhöfische Seelenlagen« (S. 92) – nicht differenziert werden muß, wenn sie bei einigen Romanen deutliche Beziehungen zum Menschenbild d'Urfés, zum preziösen Haltungsideal nachweisen kann. So schaffe der Dichter des »Liebes-garten« (1661) »aus demselben höfischen Geiste wie d'Urfé« (S. 137). – *Voßkamp* weist darauf hin, daß der Rückzug ins

Private beim Landadel bzw. einer »großbürgerlich-kleinadlige[n] Schicht« (Singer, Roman zwischen Barock und Rokoko, S. 107) nur bedingt mit der Privatheit verglichen werden könne, die das entscheidende soziologische Charakteristikum des bürgerlichen Romans des 18. Jh.s darstelle (S. 48). Auch die Beziehung von Individualdichtung und Erlebnisdichtung, die Meyer und Hirsch herstellen, wird der Kritik unterworfen: einerseits kann die Schäferdichtung des 17. Jh.s noch nicht im Sinn der Erlebnisdichtung des 18. Jh.s gesehen werden, zum andern kann auch eine nicht-höfische, private Schäferliteratur noch als Gesellschaftsdichtung gelten, »insofern sie für einen zahlenmäßig begrenzteren Leserkreis (vornehmlich des kleinen Landadels) Medium des freundschaftlichen Austauschs ist« (Voßkamp, S. 222, Anm. 8).

*Literatur:*

*Ernst Günter Carnap:* Das Schäferwesen in der deutschen Literatur des 17. Jh.s und die Hirtendichtung Europas. Diss. Frankfurt a. M. 1939.

*Klaus Garber:* Forschungen zur deutschen Schäfer- und Landlebendichtung des 17. und 18. Jh.s. In: Jb. für Internationale Germanistik 3, 1971, S. 226–242.

*Gisela Heetfeld:* Vergleichende Studien zum dt. und frz. Schäferroman. Aneignung und Umformung des preziösen Haltungsideals der »Astrée« in den dt. Schäferromanen des 17. Jh.s. Diss. München 1954 (Masch.).

*Arnold Hirsch:* Bürgertum und Barock im deutschen Roman. Ein Beitrag zur Entstehungsgeschichte des bürgerlichen Weltbildes. 1934, [2]1957.

*Gerhart Hoffmeister:* Antipetrarkismus im dt. Schäferroman des 17. Jh.s. In: Daphnis. 1, 1972, S. 128–141.

*Ferdinand van Ingen:* Johann Joseph Bekkhs »Elbianische Florabella« (1667). In: Europäische Tradition, S. 285–303.

*Klaus Kaczerowsky:* Nachwort zu: Schäferromane des Barock. 1970 (s. S. 4).

*Ulrich Maché:* Opitz' »Schäfferey von der Nimfen Hercinie« in Seventeenth-Century German Literature. In: Essays on German Literature. In honour of G. Joyce Hallamore. Ed. by Michael S. Batts and M. G. Stankiewicz. Toronto 1968. S. 34–40.

*Heinrich Meyer:* Der dt. Schäferroman des 17. Jh.s. Diss. Freiburg 1928.

*Ders.:* Schäferdichtung. In: Zeitschrift für dt. Bildung 5, 1929, S. 129–134.

*Ursula Schaumann:* Zur Geschichte der erzählenden Schäferdichtung in Deutschland. Diss. Heidelberg 1930.

*Karl Winkler:* Ein lange vergessener Meisterroman des deutschen Barocks und sein Verfasser. In: Verhandlungen des Historischen Vereins für Oberpfalz und Regensburg 94, 1953, S. 147–167.

*Singer:* Roman zwischen Barock und Aufklärung. – *Voßkamp.*

## 5. »*Bürgerlich-höfische*« *Mischformen*

Eine schwer einzuordnende Gruppe von Romanen faßt *Rötzer* als »bürgerlich-höfische Mischformen« auf, »weil sie Elemente des höfischen Staats- oder Schäferromans in bürgerliches Milieu übertragen« (Der Roman des Barock, S. 74). Eine Verwandtschaft mit den Individualschäfereien zeigt sich im vergleichsweise geringen Umfang und im meist unglücklichen Ausgang. Neben den Schriften von *Johann Gorgias* (z. B. »Floridans Jungferliche Erquick-Stunden«, 1665), die die Ich-Form des niederen Romans mit dem Schäfermilieu verbinden, also kaum zu dieser Gruppe gehören, führt Rötzer folgende Romane an:

*Augustus Augspurger*, »Der von seiner Liebsten Vbelgehaltene Amant Oder Arnalte und Lucenda«, 1642. (Möglicherweise handelt es sich hier um eine Übersetzung oder Bearbeitung eines spanischen Romans: Diego de San Pedro, »Tractado de amores de Arnalte y Lucenda«, 1491.)
*Georg Greflinger*, »Ferrando und Dorinde«, 1644.
*Philipp von Zesen*, »Die Adriatische Rosemund«, 1645.
*Balthasar Kindermann*, »Kurandors Unglückselige Nisette«, 1660.
*Johann Joseph Bekkh*, »Elbianische Florabella«, 1667.
»Unglückselige Liebes- und Lebensgeschichte des Don Francesco und Angelica«, 1667.
*Heinrich Arnold* und *Maria Catharina Stockfleth*, »Die Kunst- und Tugend-gezierte Macarie«, 1. Teil 1669, 2. Teil 1673.

Die literarhistorisch bedeutsamsten Romane dieser Gruppe sind die Zesens und Stockfleths. *Zesens* »Adriatische Rosemund« wird häufig der Gattung des Schäferromans zugeordnet, obwohl die Spezialforschung stichhaltige Einwände gegen diese Zuordnung erhoben hat (vgl. v. Ingen, Zesen, S. 44 f.). Der Roman Zesens gehört zu den Werken, die sich schon im 19. Jh. einer gewissen Wertschätzung erfreuten: der Grund liegt darin, daß man in der »Adriatischen Rosemund« mit ihrem autobiographischen Hintergrund und ihren empfindsamen Zügen einen Vorklang der Goethezeit zu vernehmen glaubte. Die »Rosemund« vereinigt Elemente zweier Romantypen, des höfisch-historischen und des Schäferromans, und ist dabei weder der einen noch der anderen Ausprägung des Romans ganz verpflichtet. Die strukturelle Verpflichtung dem höfisch-historischen Roman gegenüber zeigt sich in dem medias-in-res-Einsatz, der Technik der nachgeholten Vorgeschichte, der Trennung des Liebespaars zu Beginn. Der offene Schluß des Romans, der einen unglücklichen Ausgang vorhersehen läßt, und die angekündigte Fortsetzung verweisen auf den Schäferroman. Entscheidend für die fast allgemein übliche Zuordnung zu dieser Romangattung ist jedoch die Schäferepisode, die man als Kernstück des Romans ansehen muß und für die *v. Ingen* eine vertiefte Interpretation vorgelegt hat (Kunst und Leben, S. 93 ff.). Eine klare Zuordnung zur einen oder andern Gattung ist kaum möglich, die »Adriatische Rosemund« bleibt »nach wie vor ein Ausnahmefall« (v. Ingen, Zesen, S. 45). Einen Ausweg aus diesem Dilemma bietet v. Ingens Interpretation des Werks als eines literarischen Porträts (Kunst und Leben, S. 99 ff.). – Die »Adriatische Rosemund« hat einen Nachfolger in der inhaltlichen Thematik gefunden: in *Johann Joseph Bekkhs* »Elbianischer Florabella«, in der die Verbindung der Liebenden ebenfalls am Konfessionsunterschied scheitert. Auch hier handelt es sich nicht eigentlich um einen Schäferroman, sondern um eine Mischung von schäferlichen und bürgerlichen Elementen, deren ›Realismus‹ sich in beachtlichen Naturschilderungen äußert (v. Ingen, Florabella, S. 290 ff.).

»Die Kunst- und Tugend-gezierte Macarie«, deren erster Teil von *Heinrich Arnold Stockfleth,* der zweite von seiner Frau *Maria Catharina* stammt, hat zum erstenmal durch *Arnold Hirsch* Beachtung gefunden. In diesem Roman stehen sich wie in Sidneys »Arcadia«, aber mit entgegengesetzter Wertung, zwei Welten gegenüber: Hof- und Schäferwelt. Während jedoch bei Sidney der herrschende Bereich des Hofes und des Rittertums durch die Schäferszenen nur eine idyllische Folie erhält, ist es bei Stockfleth »vielmehr die eigentliche Bedeutung dieser Schäferwelt, daß sie in polemischer Absicht der Hofwelt als ein anderer moralischer Raum entgegengesetzt wird« (Hirsch, S. 115). Über Stockfleths Tugendbegriff und seine Polemik gegen die aristokratischen, höfischen Tugenden informiert Hirsch (S. 111 ff.). Gattungsmäßig ist der Roman schwer einzuordnen. Im ersten Band überwiegt die Darstellung der Hofwelt, im zweiten steht das Schäfermilieu im Vordergrund, allerdings nicht im Sinn des Individualromans. Es geht nicht eigentlich um die Beziehung zweier Menschen als Endziel der Darstellung, sondern um Tugendunterweisung. Der Weg führt vom als Ritter Ruhm und Ehre suchenden »verkehrte[n] Schäfer«, so der Untertitel des ersten Teils, zum »bekehrte[n] Schäfer« des zweiten Teils. Weil der Held »Ehrsucht und Ruhmbegierde überwindet und sich im niederen Schäferstand bescheidet, erlangt er Macarie, erlangt er Kunst und Tugend und damit eine Glückseligkeit, die keinem Wandel mehr unterworfen ist« (Hirsch, S. 114). Das ist das Ziel des allegorischen Romans, in dessen Sicht der Schäferwelt als einer moralischen Provinz sich bürgerliche Tugendvorstellungen des 18. Jh.s vorbereiten (Hirsch, S. 116).

*Literatur:*

*Elsa Maria Dalhäuser:* Der barocke Kleinroman »Don Francesco und Angelica«. Hamburg 1667. 1931.
*Egon Hajek:* Johann Gorgias, ein verschollener Dichter des 17. Jh.s. In: Euphorion 26, 1925, S. 22–49 und S. 197–240.
*Cohn; Hirsch; v. Ingen:* Florabella (wie S. 70); *Rötzer:* Roman des Barock (wie S. 9).

*Zesens »Adriatische Rosemund«*

*Bernd Fichtner:* Ikonographie und Ikonologie in Philipp von Zesens »Adriatischer Rosemund«. In: Philipp von Zesen 1619–1969, S. 123–136.
*Jakob Gander:* Die Auffassung der Liebe in Philipp von Zesens »Adriatischer Rosemund« (1645). Diss. Freiburg/Schweiz 1930.
*Margarete Gutzeit:* Darstellung und Auffassung der Frau in den Romanen Philipps von Zesen. Diss. Greifswald 1917.
*Ferdinand van Ingen:* Philipp von Zesen. 1970 (M 96).
*Ders.:* Philipp von Zesens »Adriatische Rosemund«: Kunst und Leben. In: Philipp von Zesen 1619–1969, S. 47–122.
*Klaus Kaczerowsky:* Bürgerliche Romankunst im Zeitalter des Barock. Philipp von Zesens »Adriatische Rosemund«. 1969.
*Waltraud Kettler:* Philipp von Zesen und die barocke Empfindsamkeit. Diss. Wien 1948 (Masch.).
*Ursula Rausch:* Philipp von Zesens »Adriatische Rosemund« und C. F. Gellerts »Leben der schwedischen Gräfin von G«. Eine Untersuchung zur Individualitätsentwicklung im deutschen Roman. Diss. Freiburg 1961 (Masch.).
*Jan Hendrik Scholte:* Zesen's »Adriatische Rosemund« als symbolische roman. In: Neophilologus 30, 1946, S. 20–30.
*Ders.:* Zesens »Adriatische Rosemund«. In: DVjs. 23, 1949, S. 288–305.
*Heinz Stănescu:* Wirklichkeitsgestaltung und Tendenz in Zesens »Adriatischer Rosemund«. In: Weimarer Beiträge. Zeitschrift für dt. Literaturgeschichte 7, 1961, S. 778–794.
Dazu die Literatur auf S. 60.

## 6. *Der Picaroroman*

Wie bei den anderen Hauptgattungen des Barockromans gehen auch beim niederen Roman Übersetzungen ausländischer Romane der Eigenproduktion voraus. *Richard Alewyn* faßt in seiner Gegenüberstellung des höfisch-historischen und des picarischen Romans den literaturgeschichtlichen Aspekt des Picaroromans prägnant zusammen:

»Der *Picaroroman* wurde am Anfang des Jahrhunderts aus Spanien eingeführt und in der zweiten Hälfte des Jahrhunderts durch Übersetzungen aus dem Französischen, dem Holländischen und dem Englischen neu belebt. In Deutschland erreicht er, durch Schwank und Sittensatire vorbereitet, seinen Gipfel um 1670 in den simplizianischen Romanen Grimmelshausens und ein paar Jahre später in den Erzählungen Johann Beers, entwickelt gleichzeitig einen Seitentrieb in dem ›Politischen‹ Roman Christian Weises und seiner Nachfolger und setzt sich in der unübersehbaren Zahl der ›Avanturiers‹ und ›Robinsonaden‹ bis weit über die Mitte des 18. Jahrhunderts fort.« (S. 23).

Picaro und Picaroroman sind häufig charakterisiert, die gemeinsamen Züge der geschichtlich einflußreichsten Beispiele oft betont worden. Die Figur des Helden und seine Welt, die Form der Erzählung und die Erzählweise unterscheiden ihn grundsätzlich von dem höfisch-historischen Roman, als dessen genaues Gegenbild man den Picaroroman betrachten kann. Im Gegensatz zur komplizierten Struktur des höfisch-historischen Romans ist der Picaroroman »eine zusammengesetzte Erzählung, deren einzelne Episoden nicht einer durchgehenden, auf ein Ziel gerichteten Handlung untergeordnet sind, sondern zwanglos aneinandergereiht und nur durch die Person des Helden zusammengehalten werden« (Petriconi, S. 63). Für *Petriconi* ergibt sich aus der episodischen Struktur die Folgerung, daß der Picaroroman keinen eigentlichen Abschluß kennt, sondern beliebig fortgesetzt werden kann (S. 63), während Alewyn das »asketische Ende des Picaroromans bitter ernst« nimmt und als notwendigen Abschluß zu empfinden scheint (S. 31).

Während der höfisch-historische Roman durch seine Struktur die Dimension der Breite erschließt, erzählt der Schelmenroman, ab ovo beginnend, sukzessiv die Lebensgeschichte eines Menschen, er ist vorwärts gerichtet. Der höfisch-historische Roman öffnet durch seine Abenteuerhandlung die zeitliche und räumliche Ferne, der Picaroroman spielt in der unmittelbaren Gegenwart in der zeitgenössischen Gesellschaft. Gesellschaft bedeutet für den Picaroroman als dem niederen Roman wiederum das genaue Gegenteil: Sein Held bewegt sich am unteren Rand oder außerhalb der Gesellschaft. Er ist eine »Mischung aus Vagabund, Diener und Spitzbube« (Salinas, S. 206). Als Diener zieht er von einem Dienstherrn zum anderen, und »infolge dieses technischen Kunstgriffes zeigt er uns mit jedem neuen Herrn ein neues Milieu und neue Ansichten der Gesellschaft« (Salinas, S. 206). Man muß jedoch mit Richard Alewyn hinzufügen, daß es sich keineswegs um einen repräsentativen Querschnitt durch die Gesellschaft, sondern um eine einseitige Auswahl handelt (Alewyn, S. 23; vgl. Alonso, S. 86). Wie im höfisch-historischen Roman sind auch die Helden im Picaroroman unberechenbaren Mächten ausgesetzt, der Macht der Fortuna oder der der Gesellschaft. In der Reaktion der Helden darauf zeigt sich der Unterschied zwischen den beiden Romangattungen noch einmal. Während die Helden des höfisch-historischen Romans der Unbeständigkeit der Welt ihre Beständigkeit, Constantia, entgegensetzen und ihre Tugend und Integrität allen physischen und seelischen Bedrängnissen zum Trotz standhaft behaupten, kennt der Picaro solche ethischen und moralischen Skrupel nicht, und darf sie nicht kennen, um in der ihn umgebenden Welt zu überleben.

Der Held des Picaroromans schildert seine Erlebnisse im Rückblick in Ich-Form. Während die Romantechnik – Episodenreihung – ein technischer Rückschritt hinter den kunstvollen Aufbau des sich an Heliodor orientierenden höfisch-historischen Romans zu sein scheint, eröffnet die Ich-Form »die Möglichkeiten des Perspektivenspiels zwischen einem erzählenden und erlebenden Ich«, die der spätere Roman dann virtuos ausnutzt (Voßkamp, S. 41). Die Wahl der Ich-Form hängt mit dem Wahrheitsanspruch des niederen Romans zusammen, der sich durch die Fiktion der Autobiographie den Anschein der Authentizität zu geben weiß. Jedoch bedient sich der Picaroroman »der bekenntnishaften Erzähltechnik noch nicht, um die Entfaltung einer individuellen Lebensgeschichte aufzuzeichnen, sondern um der gebrechlichen Welt satirisch den Spiegel vorzuhalten. Im Bekenntnis der eigenen Sünden entlarvt sich die Schlechtigkeit von Geschichte und Gesellschaft.« (Voßkamp, S. 40).

### *Der Picaroroman in Deutschland*

Bemerkenswert an der Geschichte des deutschen Picaroromans ist die Tatsache, daß trotz der frühen Übersetzung des »Lazarillo«, des »Guzmán« und der »Pícara Justina« der eigene picarische Roman fünf Jahrzehnte auf sich warten läßt. Nach Vorbereitungen durch die Moralsatire *Moscheroschs* setzt der eigenständige deutsche Schelmenroman erst mit *Grimmelshausens* »Simplicissimus« (1668) ein, der zugleich sein Höhepunkt werden sollte. Dieser späte Einsatz erklärt vielleicht die Modifikationen, die das schon durch die Übersetzungen veränderte spanische Modell durch Grimmelshausen erfährt. Hinzu kommt die Tatsache, daß sich inzwischen in Frankreich ein eigenständiges Genre des niederen Romans, der roman comique, entwickelt hatte, der durch Charles Sorels »Francion« auch für Grimmelshausen von Bedeutung wurde. Die sich anschließende Geschichte des niederen Romans in Deutschland ist reich an Mischformen und Abwandlungen des picarischen Genres und macht eine sinnvolle Gliederung, sei es nach weiteren Untergattungen oder nach Autoren, schwierig. Die herausragenden Gestalten sind *Grimmelshausen* und *Johann Beer*, das einzige klar definierbare Subgenre ist der politische Roman: die übrigen Erscheinungen des niederen Romans lassen sich kaum in die überlieferten Gattungsschemata fassen. Vieles deutet darauf hin, daß der niedere Roman sich viel schneller von vorgegebenen formalen und inhaltlichen Konzeptionen löst als der höfisch-historische Roman. Zu diesem Prozeß gehört sowohl die von Hirsch beschriebene Verbürgerlichung des Picaro und die Bejahung des Diesseits im politischen Roman als auch das Phänomen der Mischformen, das schon Alewyn an einigen Romanen Beers (vgl. Alewyn, Beer, S. 153f., 242ff.) gesehen hat und dem J. Mayer weiter nachgegangen ist.

*Grimmelshausen*

*Hans Jacob Christoffel von Grimmelshausen* (1621–1676) gilt als der bedeutendste deutsche Romancier des 17. Jh.s. Sein Ruhm gründet nicht auf seinen ›Idealromanen‹, die er unter seinem eigenen Namen veröffentlichte, sondern allein auf dem »Simplicissimus« und einigen simplicianischen Schriften, die unter verschiedenen Pseudonymen erschienen. Die folgenden Schriften faßt Grimmelshausen selbst als zusammengehörig auf (vollständige Titel und Beschreibungen bei *Weydt*, Grimmelshausen, S. 16ff.; zur Zyklusfrage ebenda, S. 91ff.):

»Der Abentheurliche Simplicissimus Teutsch«, 1669 (erschienen 1668).
»Continuatio des abentheurlichen Simplicissimi«, 1669 (= 6. Buch).
»Trutz Simplex: Oder Ausführliche und wunderseltzame Lebensbeschreibung Der Ertzbetrügerin und Landstörtzerin Courasche«, o. J. [1670].
»Der seltzame Springinsfeld«, 1670.
»Das wunderbarliche Vogel-Nest«, 1. Teil 1672; 2. Teil 1675.

Das Hauptinteresse der Forschung gilt dem »Simplicissimus« (Buch 1–5 oder 1–6), der »lange Zeit dem Publikum wie der Wissenschaft Rätsel aufgegeben« hat: »So entzog er sich immer wieder einer endgültigen Bezeichnung von der Gattung her, da seine Struktur nur annäherungsweise derjenigen von vorherrschenden Romantypen des 17. Jh.s gleicht« (Weydt, Grimmelshausen, S. 60). Man kann nicht sagen, daß die Forschung zu einer eindeutigen Antwort gelangt sei. Der Ansicht, daß Grimmelshausens Originalität gegenüber dem Picaroroman überbetont worden sei und der »Simplicissimus« als geradlinige Fortsetzung des »Guzmán de Alfarache« von Mateo Alemán zu betrachten sei (Parker), steht die Meinung Koschligs gegenüber, daß es keinen Beweis dafür gebe, daß Grimmelshausen spanische Schelmenromane gekannt habe, bzw. daß sie für sein Werk von Bedeutung geworden seien (Koschlig, Francion, S. 31 ff.). Auch die alte Bildungs- oder Entwicklungsromankontroverse, die mit Rohrbachs Arbeit ad acta gelegt zu sein schien, ist wieder aufgenommen worden (Hoffmann; vgl. Köhn, S. 47 ff.).

Die Frage nach der Einheit des Simplicissimusromans hat die Forschung immer wieder bewegt. Während sie früher häufig in der Entwicklungsidee, verkörpert durch die Gestalt des Simplicius Simplicissimus, gesehen wurde, versuchen neuere Interpretationen das Kompositionsprinzip des »Simplicissimus« in barockgemäßeren Strukturen zu erkennen. Heselhaus weist darauf hin, daß Grimmelshausen das Schema der Exegese nach dem vierfachen Schriftsinn des Wortes als Kompositionsschema verwende (S. 29), ein Gedanke, dem Feldges weiter nachgeht. Weydt hingegen sieht die Einheit des Romans in einem astrologisch-alchimistischen Systemdenken, das etwa vom 15. bis zum 17./18. Jh. herrschte.

Gleichwohl sind die Elemente, die den »Simplicissimus« mit dem picarischen Roman verbinden, nicht zu übersehen. Dem Picaroroman verdankt Grimmelshausen die autobiographische Form des Romans, die Technik der Reihung von Abenteuern und Episoden und damit die Möglichkeit der Fortsetzung. Neben Übereinstimmungen mit dem Picaroroman im Formalen, auch die Neigung zu moralisierenden oder reflektierenden Einschüben wäre zu nennen, gibt es auch inhaltliche Parallelen. Viele Züge in der Gestalt des Helden weisen auf den Picaro. Die Beschaffenheit der Welt stimmt im »Simplicissimus« mit dem im spanischen Picaroroman bzw. seinen deutschen Übersetzungen geschilderten Weltzustand überein. Die deutschen Versionen des »Lazarillo« und des »Guzmán« schildern Sünder- und Büßergeschichten »im Spannungsfeld von Sünde und Erlösung« (Rötzer, S. 145) und fassen das Leben des Picaro als Beispiel der Weltverfallenheit und als Aufruf zur Weltabkehr auf. Von hier, dem deutschen »Lazarillo« und »Guzmán«, führt eine direkte Linie zum »Simplicissimus«, in dem die Welt gleichfalls als Ort der Unbeständigkeit schlechthin aufgefaßt wird, die dazu zwingt, ihr als Einsiedler den Rücken zu kehren, denn im »Einsiedlertum ist die weiteste Entfernung von der Unbeständigkeit der Welt erreichbar« (Müller-Seidel, S. 270). – Daß daneben die Technik des höfisch-historischen Romans auf den »Simplicissimus« eingewirkt hat, haben Bloedau und differenzierter Alewyn gezeigt: vor allem durch die Gestalten Herzbruders und Oliviers, die Simplicissimus begleiten und an wichtigen, auch formal herausgehobenen Stellen des Romans erscheinen, erhebt sich der »Simplicissimus« über die einfache Reihungstechnik des Picaroromans und zeigt Ansätze zu einer Architektonik des Aufbaus (Bloedau, S. 22 ff. u. ö; Alewyn, Beer, S. 154).

### *Simpliziaden*

Der große buchhändlerische Erfolg des »Simplicissimus« führt dazu, daß sein Titel einer ganzen Reihe von Büchern zwischen 1670 und 1744 zu Reklamezwecken untergeschoben wird, die im übrigen mit Grimmelshausens Werk nichts gemein haben. Hubert Rausse hat für diese Werke den Begriff der Simpliziade – im Anschluß an Robinsonade – geprägt. Aber schon er erkannte, daß nur wenige Werke als direkte Nachfolger des »Simplicissimus« gelten können. Zu diesen zählen der »Frantzösische Kriegs-Simplicissimus« (1682–83), Daniel Speers »Ungarischer Oder Dacianischer Simplicissimus« (1683; 2. Teil unter dem Titel »Türckischer Vagant«) und der »Simplicissimus redivivus« (1743/44), der »Kriegsberichte, antifranzösische Polemik und Kochrezepte« enthält (Singer, Der galante Roman, S. 24). Von den Schriften, die zu Unrecht mit dem Namen Simplicissimus Reklame machen, verdient der Roman »Simplicianischer Jan Perus« (1672) besondere Aufmerksamkeit. Mit dieser Übersetzung der ersten beiden Teile von *Richard Heads* »The English Rogue« (1665–1680) setzt die von Hirsch beschriebene Verbürgerlichung des Picaro ein, für die die Übersetzungen von drei niederländischen Schelmenromanen symptomatisch sind (s. S. 29).

### *Johann Beer*

*Alewyn* hat den in der Musikgeschichte schon bekannten Johann Beer (1655–1700) als Verfasser von etwa 20 unter verschiedenen Pseudonymen erschienenen Romanen nachgewiesen und ihn als Erzähler ebenbürtig an die Seite Grimmelshausens gestellt. Seine Romane lassen in vier, einander zum Teil überschneidende Gruppen einteilen, die zugleich eine Art Entwicklung signalisieren (Alewyn, Beer, S. 236 ff.): Ritterromane, Picaroromane, satirische Romane und eine Gruppe von vier Romanen, die gattungsmäßig schwer einzuordnen sind.

Folgende Romane *Beers* können zum Picarogenre gerechnet werden:

»Der Simplicianische Welt-Kucker«, 1677–79.
»Des Abentheuerlichen Jan Rebhu Artlicher Pokazi«, 1679–80.
»Die vollkommene Comische Geschicht Des Corylo«, 1679–80.
»Jucundi Jucundissimi Wunderliche Lebens-Beschreibung«, 1680.
»Der Berühmte Narren-Spital«, 1681.
»Der Kurtzweilige Bruder Blau-Mantel«, 1700.

Voraus gehen den Picaroromanen drei meist parodistisch gehaltene Ritterromane (»Ritter Hopffen-Sack«, 1678; »Printz Adimantus«, 1678; »Ritter Spiridon«, 1679), ihnen folgt eine Anzahl satirischer Schriften z. T. antifeministischer (z. B. »Weiber-Hächel«, 1680; »Junger-Hobel«, 1681), z. T. »politischer« Art in der Nachfolge Christian Weises (»Der Politische Feuermäuerkehrer«, 1682; »Der Politische Bratenwender«, 1682). Vier Romane, die gattungsmäßig schwer einzuordnen sind und unter denen die letzten beiden den Gipfel von Beers Romanwerk bilden, entstehen gleichzeitig mit oder kurz nach den satirischen Schriften:

»Der verliebte Europeer«, 1682.
»Der Verliebte Österreicher«, 1704 (posthum).
»Zendorii à Zendoriis Teutsche Winter-Nächte«, 1682.
»Die kurtzweiligen Sommer-Täge«, 1683.

Alewyn weist darauf hin, daß die »Invention«, der genialische Einfall, bezeichnend für Beers Dichtung sei, die durchaus aus dem Moment geschaffen sei: »seine Romane sind eine Kette von Improvisationen nach einem von Anfang an offenbar sehr vagen Plan.« (Alewyn, Beer, S. 137). Von daher erklärt sich Beers Vorliebe für die reihende Form des Picaroromans.

Von der Komposition her können sich seine Romane nicht mit dem Werk Grimmelshausens messen. Sein erster Roman, »Der Simplicianische Welt-Kucker«, nimmt sich zwar Grimmelshausens »Simplicissimus« zum Vorbild, kann jedoch in seinem »verwilderten Experiment« (Alewyn, Beer, S. 137) der großen Stoffmassen nicht Herr werden und verzettelt sich. Hingegen zeigen die kürzeren Romane, »Corylo« und »Jucundus Jucundissimus«, den Picaroroman bei Beer auf seinem Gipfel. In diesen Romanen macht sich eine merkliche Verdichtung des ›Realismus‹ bemerkbar und der picarische Held wird als Teil der sozialen Struktur gesehen. Die beiden Romane »Teutsche Winter-Nächte« und »Kurtzweilige Sommer-Täge« drängen nicht mehr gemäß dem Sukzessionsprinzip des Picaroromans vorwärts, sondern entwickeln sich in die Breite und scheinen damit »einen Ausgleich zwischen dem Sukzessionsprinzip des pikaresken und dem Simultanprinzip des heroisch-galanten Romans« anzudeuten (Alewyn, Beer, S. 243). Das Abenteuerliche und Picareske ist nicht mehr der Rahmen der Handlung, sondern nur noch gesellige Einlage. Der traditionelle Held, der außerhalb der Gesellschaft steht, wird durch eine Gruppe von Helden, Landadligen, ersetzt, die feste Wurzeln in der Gesellschaft haben. In diesen beiden Romanen sieht Alewyn eine neue Romanform verwirklicht, die sich sowohl vom picaresken als auch vom höfisch-historischen Roman wesentlich unterscheidet. Die neue Form erkennt Alewyn in dem »Aufbau auf einer Gruppe von sowohl sozial wie dichterisch fast gleich geordneten Personen« (Beer, S. 245).

Dieser sozialen Verankerung des ehemals wurzellosen Helden des Picaroromans entspricht eine neue Bewertung des Diesseits, die ihren deutlichen Ausdruck in Beers Behandlung des Einsiedlermotivs findet (Alewyn, S. 229 ff., Knight, S. 203 ff.). Beer übernimmt, ja steigert die asketischen Züge des traditionellen Picaroromans, allerdings so sehr, daß man an seinem Ernst zweifeln muß. Hinzu kommen neue Züge: das Eremitentum bedeutet nicht mehr weltfeindliche Askese, sondern wird wie die Schäferei »Ausdruck eines neuen Lebensideals der Genügsamkeit und Bedürfnislosigkeit« (Alewyn, Beer, S. 233) und führt zugleich zu einem neuen Verhältnis zur Natur. In den »Sommer-Tägen« wird das Einsiedlertum gar zu einer Art Gesellschaftsspiel. Knight weist darauf hin, daß die Helden der »Winter-Nächte« und »Sommer-Täge« auf die Welt hin orientiert sind. Diese Welt ist nicht mehr die, von der Simplicius Simplicissimus sich zurückgezogen hatte. Beers ›Realismus‹, wie er von Alewyn und Knight gesehen wird, bedeutet als Anzeichen eines neuen Weltverständnisses »die Überwindung der asketischen Weltinterpretation des Barock« (Hirsch, S. 132). Der picarische Roman entwickelt sich zum Abenteuerroman (Hirsch, S. 34 ff.). In einer Gegenüberstellung von *Grimmelshausens* und *Beers* Stil hat Alewyn (Beer, S. 196 ff.) nachdrücklich auf die größere Gegenständlichkeit Beers hingewiesen und zugleich Grimmelshausen das Etikett eines »Realisten« abgesprochen (vgl. jetzt Tarots Versuch über Grimmelshausens Realismus, der jedoch von ganz anderen Voraussetzungen ausgeht).

Über den Rang Beers als Dichter besteht noch keine Übereinstimmung der Meinungen. Während er für Alewyn im ganzen Grimmelshausen ebenbürtig erscheint (Alewyn, Beer, S. V), äußern sich Kremer, Knight u. a. skeptischer. Für Knight kommt Beer als ernsthafter Rivale Grimmelshausens nicht in Frage. Er stellt ihn etwa auf eine Stufe mit Weise und Reuter (S. 211), was nun freilich nach der anderen Seite hin am Ziel vorbeizuschießen scheint.

## *Der politische Roman*

Neben den Romanen Grimmelshausens und Beers ist der sogenannte politische Roman die wichtigste Erscheinung auf dem Feld des niederen Romans im 17. Jh. Im Anschluß an *Christian Weise* erscheinen in den achtziger Jahren des 17. Jh.s zahlreiche politische Romane, wobei bei einigen das Stichwort politisch allerdings nur Reklamecharakter hat. Seinen Höhepunkt erreicht der politische Roman bei *Johann Riemer* (Hirsch, S. 60). Die gesamte literarische Bewegung ist von *Arnold Hirsch* dargestellt worden.

### *Christian Weise und Johann Riemer*

*Christian Weise* (1642–1708) veröffentlichte drei Romane. Ein viertes Werk, »Die drey Haupt-Verderber in Teutschland« (1671), folgt in der Form den »Gesichten« Moscheroschs und gehört nicht in diesen gattungsmäßigen Zusammenhang:

»Die drey ärgsten Ertz-Narren In der gantzen Welt«, 1672.
»Die Drey Klügsten Leute in der gantzen Welt«, 1675.
»Der Politische Näscher«, 1678 (schon vor 1672 entstanden).

Für die Entfaltung der Gattung besonders einflußreich wurde Weises »Kurtzer Bericht vom Politischen Näscher / wie nehmlich Dergleichen Bücher sollen gelesen / und Von andern aus gewissen Kunst-Regeln nachgemachet werden«, 1680.

Weises Romane vertreten ein neues Bildungsideal, dem auch Weise in der Praxis als Professor an der »Ritterakademie« in Weißenfels folgte. Es geht um die Vermittlung einer »weltmännischen, praktischen, im öffentlichen Leben brauchbaren Erziehung« (Hirsch, S. 44), mit der sich das gehobene Bürgertum die Möglichkeit verschafft, sich für die Beamtenlaufbahn im absolutistischen Staat vorzubereiten. Damit notwendigerweise verbunden ist die Aneignung höfischer Lebensformen, weltmännischen Benehmens und galanter Umgangsformen durch das angesprochene höhere Bürgertum. Mit seinen Schriften errichtet Weise »die Grundlage für ein diesseitiges, politisches Bildungsideal« (Hirsch, S. 49).

Der politische Roman zeigt formale Übereinstimmungen mit dem Picaroroman (Reihung), unterscheidet sich aber radikal im Geist. Die Erfahrungen, die Grimmelshausens Helden in der Welt machen, führen zum Pessimismus und zur Erkenntnis der Nichtigkeit der irdischen Dinge. Der politische Roman ist optimistisch, er behält die

Glückseligkeit nicht dem Jenseits vor, sondern lehrt, wie man sich durch Erfahrung und Orientierung in der Welt Maßstäbe aneignet, die ein glückliches und tüchtiges Leben in der Welt ermöglichen (vgl. Hirsch, S. 44 ff.).

*Johann Riemer* (1648–1714), der bei Rudolf Becker nur als Nachahmer Christian Weises erwähnt wird, findet bei Alewyn (Beer, S. 155) und Hirsch (S. 60 ff.) eine höhere Einschätzung. Was Riemer von Weise unterscheidet, ist sein ursprüngliches Talent als Erzähler. Während Weise seine Romane nur als Mittel auffaßt, seine pädagogischen Ziele zu verwirklichen, gelingt es Riemer, »das neue gesellschaftliche Leben selbst in seinem Wirklichkeitsgehalt darzustellen« (Hirsch, S. 60) und durch seine Erzählkunst den politischen Roman auf seinen Höhepunkt zu führen. Riemer, zunächst Kollege Weises in Weißenfels und dann sein Nachfolger, veröffentlichte neben theoretischen Schriften drei Romane:

»Der Politische Maul-Affe«, 1679.
»Die Politische Colica«, 1680.
»Der Politische Stock-Fisch«, 1681.

### *Der politische Roman nach Weise und Riemer*

Christian Weises Romane lösen eine Flut von »politischen« Romanen aus, die sich an der von ihm geschaffenen »Form der Reise zur Weltorientierung, auf der eine unter einem fest umrissenen Thema stehende Revue vorgeführt wird«, orientieren (Hirsch, S. 71). Zunächst herrscht die satirische Revueform vor (z. B. »Der Politische Grillenfänger«, 1682; »Der lustige Politische Guckguck«, 1684; »Der Politische Leyermann«, 1683; vgl. Hirsch, S. 72 ff.), die später eine Umbildung dadurch erfährt, daß der Held nicht mehr bloßer Beobachter bleibt, sondern wie schon in Weises »Politischem Näscher« Teil der Handlung wird. Dadurch werden die schematischen Einzelbilder der Revueform überwunden und ein Lebenslauf wird sichtbar (z. B. »Die Politische Mause-Falle«, 1683; »Das Politische Hof-Mädgen«, 1685; »Das Politische Kleppel-Mädgen«, 1688; vgl. Hirsch, S. 75 f.).

Eine deutliche Entfernung von Christian Weises Vorstellungen, die auf eine Vermittlung von theoretischem Bildungsmaterial zielen, zeigen die politischen Romane *Beers,* die deutlichen Pamphletcharakter tragen und moralische Mißstände in einer bestimmten Gesellschaft angreifen (»Der Politische Feuermäurerkehrer«, 1682; »Der Politische Bratenwender«, 1682; »Die Andere Ausfertigung Neugefangener Politischer Maul-Affen«, 1683; »Der Deutsche Kleider-Affe«, 1685). In einer Reihe von Romanen weist Hirsch auf die realistische Darstellung bürgerlicher Schauplätze hin, eine Entwicklung, die ihren Gipfel in den Romanen *Johann Kuhnaus* (1660–1722) findet (»Der Schmid Seines eignen Unglückes«, 1695; »Des klugen und Thörichten Gebrauchs Der fünf Sinnen Erster Theil Vom Fühlen«, 1698; »Der musicalische Quack-Salber«, 1700). Wie der Musiker Kuhnau in seinem »Musicalischen Quack-Salber« und *Wolfgang Caspar Printz* (1641–1717) in seinen drei Musikerromanen (»Musicus Vexatus«, 1690; »Musicus Magnanimus«, 1691; »Musicus Curiosus«, 1691) verbindet auch der Mediziner *Johann Christian Ettner* die Idee des politischen Romans mit fachlicher Unterweisung in den sechs Teilen seines »Medicinischen Maul-Affens« (1694–1715). – Ob *Paul Wincklers* »Edelmann« (1696) zum politischen Roman oder zur Dialogliteratur zu rechnen sei, ist umstritten (Briele; Cohn, S. 196 ff.).

### *Christian Reuters »Schelmuffsky«*

*Christian Reuters* »Schelmuffsky« (1696, 2. Fassung 1696/97) macht eine Zuordnung zu einem der gängigen Romantypen des 17. Jh.s schwierig. Die Charakterisierung im Reallexikon (I ²1958, S. 2) als eine Verbindung von Lügen-, Reise- und Abenteuerroman zeigt die Verlegenheit. Im einsträngigen Aufbau der Handlung zeigt sich »Schelmuffsky« dem picarischen Roman oder den einheimischen Prosaromanen des 15. und 16. Jahrhunderts verpflichtet. Es bestehen jedoch bezeichnende Unterschiede: Während der Held im picarischen Roman oft nur einen funktionellen Charakter besitzt, das Erzählen trotz der Ich-Form unpersönlich ist, steigert sich im »Schelmuffsky« der Held vom Typ zum Charakter: »durch das persönliche Verhältnis des Erzählers zum Erzählten ist der »Schelmuffsky« gegenüber dem Volksbuch und dem Picaroroman traditioneller Prägung weit ›moderner‹, weil subjektiver.« (Hecht, Reuter, S. 35). Der Roman ist einerseits Gesellschaftssatire, »Karikatur einer Epoche« (Tober, S. 142), andererseits in seinen parodistischen Teilen Literatursatire. *Hans Geulen* versucht eine neue gattungsmäßige Einordnung: Er beschreibt den »Schelmuffsky« als politischen Roman in Gestalt einer satirischen Lügengeschichte. Gegenstand des Romans sei das falsch verstandene Politische. Wie im Roman Weises sei auch bei Reuter die Reise das Vehikel der Handlung, allerdings werde bei Reuter der Reisende dümmer statt klüger: »Worüber Weise und Riemer zu belehren sich anschickten, hier wird das Gegenteil am Beispiel eines zweifelhaften Adepten lärmend eingebleut. Das Korrektiv liegt beim Leser.« (Geulen, Festschrift Weydt, S. 491).

### *Mischformen*

Die Geschichte des niederen Romans nach Grimmelshausens »Simplicissimus« ist nur schwer auf Begriffe zu bringen. Auf der einen Seite befinden sich die Romane, die der picaresken Grundstruktur recht nahe stehen. Neben Grimmelshausens Simplicianischen Schriften ist vor allem *Wolfgang Caspar Printz'* »Güldener Hund« (1675–76) zu nennen, in dem in der Nachfolge von Apuleius »Metamorphosen« ein in einen Hund verwandelter Picaro durch die Welt geschickt wird. Wie im »Vogelnest« Grimmelshausens zeigt sich der bloß funktionelle Charakter des Picaro (vgl. Hirsch, S. 28; Alewyn, Beer, 92 ff.). Andererseits sind schon sehr früh Abwandlungen der picaresken Grundstruktur zu erkennen: bei Johann Beer entwickelt sich der religiös bestimmte Picaroroman zum Abenteuerroman, Christian Weise verwendet Elemente des picarischen Romans für seinen politischen Roman. Darüber hinaus lassen sich Versuche nachweisen, die darauf zielen, die Beschränkung des Erzählens, die die Struktur des picaresken Romans bedeutet, durch Verbindungen mit anderen Romantypen aufzuheben. Schon Alewyn hat auf das Phänomen der Mischformen aufmerksam gemacht, zu denen er – nach Bloedau – auch den »Simplicissimus« und Romane Beers zählt (Beer, S. 242 ff.). Als Beispiele weiterer Mischformen nennt Alewyn (S. 153) *Sorels* »Francion«, eine Übersetzung aus dem Spanischen (*Cyrus vom Hamelstern,* »Das wunderbare Leben Des listigen und lustigen Biscajino«, o. J. [ca. 1700]) und *Hieronymus Dürers* »Lauf der Welt Und Spiel des Glücks« (1668). Jürgen Mayer führt in seiner Untersuchung von »Mischformen barocker Erzählkunst« noch drei weitere Romane hinzu:

*Johann Riemer,* »Der Politische Stock-Fisch«, 1681.
*Erasmus Grillandus,* »Der Politische / possirliche / und doch manierliche Simplicianische Hasen-Kopff«, 1683.
*Johann Sigismund Hugo,* »Der ... Christ-Adeliche Otto«, 1684.

Diese Romane zeichnen sich durch »die unbekümmerte Mischung pikaresker und höfisch-historischer Elemente« aus (Mayer, S. 120). Mayer erkennt eine Befreiung vom Gattungszwang, die Verwirklichung origineller erzählerischer Möglichkeiten, ohne daß jedoch eine neue Norm verwirklicht werde (S. 120). Als Ursache für die Entstehung der Mischformen sieht Mayer das Unbehagen an dem rein additiven Verfahren des Picaroromans (S. 126).

### *Avanturier-Romane und Robinsonaden*

Die letzten Ausläufer des barocken niederen Romans sind die sogenannten Avanturier-Romane und die Robinsonaden, die beide auf ausländische Vorbilder zurückgehen und ihre Existenz als »Gattungen« verlegerischer Spekulation verdanken. Bei den Avanturier-Romanen handelt es sich um Abenteuerromane, deren Modell als »Der Kurtzweilige Avanturier« (1714) aus dem Niederländischen ins Deutsche übersetzt wurde (*Nicolaas Heinsius*, »Den Vermakelyken Avanturier Ofte de wispelturige en niet min Wonderlyke Levens-loop van Mirandor«, 1695). Reichardt (S. 103 ff.) weist Beziehungen zur französischen Version von *Quevedos* »Buscón« des *Sieur de la Geneste* nach, die 1633 unter dem Titel »L'Avanturier Buscon, Histoire Facecieuse« erschien. – Die Serie der Robinsonaden geht von *Daniel Defoes* »Robinson Crusoe« (1719) aus, dessen erste Übersetzung ins Deutsche 1720 erschien, und erreicht ihren Höhepunkt in *Johann Gottfried Schnabels* Roman »Wunderliche Fata einiger See-Fahrer« (1731–1743). Daß Titel nichts bedeuten, wird durch den Umstand belegt, daß die zweite Auflage des Kurtzweiligen Avanturiers« den Titel »Der Niderländische Robinson« (1724) trägt.

*Literatur:*

*Amado Alonso:* Das Pikareske des Schelmenromans. In: Pikarische Welt, S. 79–100.

*Robert Alter:* Rogue's Progress. Studies in the Picaresque Novel. Cambridge, Mass. 1964.

*Maurice Bataillon:* Le roman picaresque. Paris 1931.

*Karl Borinski:* Die Hofdichtung des 17. Jh.s. In: Zs. für vergleichende Litteraturgeschichte N. F. 7, 1894, S. 1–27.

*Ders.:* Baltasar Gracian und die Hoflitteratur in Deutschland. 1894.

*Fritz Brüggemann:* Utopie und Robinsonade. Untersuchungen zu Schnabels »Insel Felsenburg« (1731–1743). 1914.

*Frank W. Chandler:* Romances of Roguery. New York 1899. Reprint 1961.

*Ders.:* The Literature of Roguery, 2 Bde., Boston, New York 1907.

*Max Götz:* Der frühe bürgerliche Roman in Deutschland (1720–1750). Diss. München 1958 (Masch.).

*Theodore M. Hatfield:* Some German Picaras in the Eighteenth Century. In: JEGP 31, 1932, S. 509–529.
*Erich Jenisch:* Vom Abenteurer- zum Bildungsroman. In: GRM 14, 1926, S. 339–351.
*Klaus Lazarowicz:* Verkehrte Welt. Vorstudien zu einer Geschichte der deutschen Satire. 1963.
*Jürgen Mayer:* Mischformen barocker Erzählkunst. Zwischen pikareskem und höfisch-historischem Roman. 1970.
*Hans Friedrich Menck:* Der Musiker im Roman. Ein Beitrag zur Geschichte der vorromantischen Erzählungsliteratur. 1931.
*Berthold Mildebrath:* Die deutschen ›Avanturiers‹ des 18. Jh.s. Diss. Würzburg 1907.
*Stuart Miller:* The Picaresque Novel. Cleveland 1967.
*Georg Molin:* Jan Perus und Jan Rebhu – ein Beitrag zur Geschichte des volkstümlichen Romans im 17. Jh. Diss. Wien 1931 (Masch.).
*Alexander A. Parker:* Literature and the Delinquent. The Picaresque Novel in Spain and in Europe 1599–1753. Edinburgh 1967.
*Helmut Petriconi:* Zur Chronologie und Verbreitung des spanischen Schelmenromans. In: Pikarische Welt, S. 61–78.
*Hubert Rausse:* Zur Geschichte der Simpliziaden. In: Zs. für Bücherfreunde NF 4, 1912, S. 195–215.
*Ders.:* Der Abenteurerroman des 17. und 18. Jh.s. In: Die Kultur 15, 1914, S. 218–226.
*Dieter Reichardt:* Von Quevedos »Buscón« zum deutschen »Avanturier«. 1970.
*Herbert Riedel:* Musik und Musikerlebnis in der erzählenden deutschen Dichtung. 1959.
*Hans Gerd Rötzer:* Picaro – Landtstörtzer – Simplicius. Studien zum niederen Roman in Spanien und Deutschland. 1972.
*Pedro Salinas:* Der literarische ›Held‹ und der spanische Schelmenroman. Bedeutungswandel und Literaturgeschichte. In: Pikarische Welt, S. 192–211.
*Jörg Schönert:* Roman und Satire im 18. Jh. Ein Beitrag zur Poetik. 1969.
*Hermann Ullrich:* Robinson und Robinsonaden. Bibliographie, Geschichte, Kritik. Teil 1: Bibliographie. 1898.
*H. H. Weil:* The Conception of the Adventurer in German Baroque Literature. In: German Life and Letters N. S. 6, 1952/53, S. 285–291.
*Alewyn:* Roman des Barock; *Cohn; Hirsch; Kimpel* (s. S. 57).
*Rausse; Singer:* Der galante Roman; *Voßkamp.*

*Beer*

*Kurt Adel:* Johann Beer – Der Anteil Österreichs an der Entwicklung des europäischen Barockromans. In: Österreich in Geschichte und Literatur 7, 1963, S. 534–539.
*Richard Alewyn:* Johann Beer. Studien zum Roman des 17. Jh.s. 1932.
*Martin Bircher:* Neue Quellen zu Johann Beers Biographie. In: ZfdA 100, 1971, S. 230–242.

*Ilse Hartl:* Die Rittergeschichten Johann Beers. Diss. Wien 1947 (Masch.).
*K. G. Knight:* The Novels of Johann Beer (1655–1700). In: Modern Language Review 56, 1961, S. 194–211.
*Manfred Kremer:* Die Satire bei Johann Beer. Diss. Köln 1964.
*Ders.:* Johann Beers »Bruder Blaumantel«. In: Neophilologus 51, 1967, S. 392–395.
*Jörg-Jochen Müller:* Studien zu den Willenhag-Romanen J. Beers. 1965.
*F. P. Varas Reyes:* Notas a dos novelas de Johann Beer. In: Filología Moderna 3, 1962, S. 101–135.
*Marcel Roger:* Das komische Element in den Romanen von Johann Beer. Diss. Univ. of California at Los Angeles 1969 (DA 30A, 1969/70, S. 1572 f.).
*Johann Seitz:* Die Frau und ihre Stellung im Werk Johann Beers. Diss. Univ. of Minnesota 1971 (DA 32, 1971, S. 2707A).

*Grimmelshausen*

*Richard Alewyn:* Grimmelshausen-Probleme. In: Simplicissimusdichter, S. 389–408.
*Johannes Alt:* Grimmelshausen und der »Simplicissimus«. 1936.
*Jeffrey Ashcroft:* Ad astra volandum: Emblems and Imagery in Grimmelshausen's »Simplicissimus«. In: The Modern Language Review 68, 1973, S. 843–862.
*Carl August von Bloedau:* Grimmelshausens »Simplicissimus« und seine Vorgänger. Beiträge zur Romantechnik des 17. Jh.s. 1908, Reprint 1967.
*Paul Böckmann:* Formgeschichte der deutschen Dichtung. Bd. 1: Von der Sinnbildsprache zur Ausdruckssprache. Der Wandel der literarischen Formensprache vom Mittelalter zur Neuzeit. $^{3}$1967. S. 448 ff.
*Hansjörg Büchler:* Studien zu Grimmelshausens »Landstörtzerin Courasche« (Vorlagen, Struktur und Sprache, Moral). 1971.
*Fritz Ernst:* Grimmelshausens »Simplizissimus« und seine spanischen Verwandten. Ein Beitrag zur europäischen Literatur. In: F. Ernst: Aus Goethes Freundeskreis und andere Essays. 1955. S. 161–188.
*Mathias Feldges:* Grimmelshausens »Landstörtzerin Courasche«. Eine Interpretation nach der Methode des vierfachen Schriftsinnes. Bern 1969.
*Ders.:* Ein Beispiel für das Weiterleben mittelalterlicher Denkstrukturen in der Barockzeit. In: Wirkendes Wort 20, 1970, S. 258–271.
*Melitta Gerhard:* Der deutsche Entwicklungsroman bis zu Goethes »Wilhelm Meister«. 1926, $^{2}$1968.
*Hubert Gersch:* Ein Sonderfall im Zeitalter der Vorreden-Poetik des Romans: Grimmelshausens vorwortloser »Simplicissimus«. In: Festschrift Weydt, S. 267–284.
*Ders.:* Geheimpoetik. Die »Continuatio des abentheurlichen Simplicissimi« interpretiert als Grimmelshausens verschlüsselter Kommentar zu seinem Roman. 1973.
*Friedrich Gundolf:* Grimmelshausen und der »Simplicissimus«. In: DVjs. 1, 1923, S. 339–358. Auch in: Simplicissimusdichter, S. 111–132.

*Klaus Haberkamm:* ›Fußpfad‹ oder ›Fahrweg‹? Zur Allegorese der Wegewahl bei Grimmelshausen. In: Festschrift Weydt, S. 285–317.
*Ders.:* »Sensus Astrologicus«. Zum Verhältnis von Literatur und Astrologie in Renaissance und Barock. 1972.
*John Heckman:* Emblematic Structures in »Simplicissimus Teutsch«. In: Modern Language Notes 84, 1969, S. 876–890.
*Gisela Herbst:* Die Entwicklung des Grimmelshausenbildes in der wissenschaftlichen Literatur. 1957.
*Clemens Heselhaus:* Grimmelshausen: »Der abenteuerliche Simplicissimus«. In: Benno v. Wiese (Hrsg.): Der deutsche Roman. Vom Barock bis zur Gegenwart. Struktur und Geschichte. Bd. 1, 1963. S. 15–63.
*Werner Hoffmann:* Grimmelshausens »Simplicissimus« – nicht doch ein Bildungsroman? In: GRM NF 17, 1967, S. 166–180.
*Dietrich Walter Jöns:* Emblematisches bei Grimmelshausen. In: Euphorion 62, 1968, S. 385–391.
*Lothar Köhn:* Entwicklungs- und Bildungsroman. Ein Forschungsbericht. Mit einem Nachtrag. 1969. S. 47–50.
*Max Kommerell:* Don Quijote und Simplicissimus. In: M. Kommerell: Essays, Notizen, Poetische Fragmente. 1969. S. 37–80.
*Manfred Koschlig:* Das Lob des »Francion« bei Grimmelshausen. In: Jb. der dt. Schillergesellschaft 1, 1957, S. 30–73.
*Ders.:* Der Mythos vom ›Bauernpoeten‹ Grimmelshausen. In: Jb. der dt. Schillergesellschaft 9, 1965, S. 33–105.
*Ders.:* Dokumente zur Grimmelshausen-Bibliographie. In: Jb. der dt. Schillergesellschaft 16, 1972, S. 71–125.
*Helmut K. Krausse:* Das sechste Buch des »Simplicissimus« – Fortsetzung oder Schluß? In Seminar 4, 1968, S. 129–146.
*Gerhard Kühl:* Untersuchungen zur Romankunst Grimmelshausens im »Simplicissimus«. Diss. Frankfurt a. M. 1961.
*Gerhart Mayer:* Die Personalität des Simplicius Simplicissimus. Zur Einheit von Gestalt und Werk. In: ZfdPh 88, 1969, S. 497–521.
*Klaus-Detlef Müller:* Die Kleidermetapher in Grimmelshausens »Simplicissimus«. Ein Beitrag zur Struktur des Romans. In: DVjs 44, 1970, S. 20–46.
*Walter Müller-Seidel:* Die Allegorie des Paradieses in Grimmelshausens »Simplicissimus«. In: Medium aevum vivum. Festschrift für Walther Bulst, hrsg. v. H. R. Jauss und D. Schaller. 1960. S. 253–278.
*Volker Neuhaus:* Typen multiperspektivischen Erzählens. 1971. S. 145 ff.
*Günter Rohrbach:* Figur und Charakter. Strukturuntersuchungen an Grimmelshausens »Simplicissimus«. 1959.
*Bertil Romberg:* Studies in the narrative technique of the first-person novel. Stockholm, Göteborg, Uppsala 1962. S. 147–176.
*Walter Ernst Schäfer:* Laster und Lastersystem bei Grimmelshausen. In: GRM NF 12, 1962, S. 233–243.
*Ders.:* Tugendlohn und Sündenstrafe in Roman und Simpliciade. In: ZfdPh 85, 1966, S. 481–500.
*Ders.:* Der Satyr und die Satire. Zu Titelkupfern Grimmelshausens und Moscheroschs. In: Festschrift Weydt, S. 183–232.

*Lothar Schmidt:* Das Ich im »Simplicissimus«. In Wirkendes Wort 10, 1960, S. 215–220. Auch in: Pikarische Welt, S. 350–360.
*Jan Hendrik Scholte:* Der »Simplicissimus« und sein Dichter. Gesammelte Aufsätze. 1950.
*Wolfgang Schuchardt:* Studien zu Grimmelshausen, insbesondere sein Sprachstil. 1921, Reprint 1967.
*Ulrich Stadler:* Das Diesseits als Hölle: Sünde und Strafe in Grimmelshausens »Simplicianischen Schriften«. In: Europäische Tradition, S. 351–369.
*Siegfried Streller:* Grimmelshausens »Simplicianische Schriften«. Allegorie, Zahl und Wirklichkeitsdarstellung. 1957.
*Rolf Tarot:* Grimmelshausens Realismus. In: Festschrift Weydt, S. 233–265.
*Ders.:* Notwendigkeit und Grenzen der Hypothese in der Grimmelshausen-Forschung. Zur Echtheitsfrage des Barock-Simplicissimus. In: Orbis Litterarum 25, 1970, S. 71–101.
*Werner Welzig:* Beispielhafte Figuren. Tor, Abenteurer und Einsiedler bei Grimmelshausen. 1963.
*Ders.:* Ordo und verkehrte Welt bei Grimmelshausen. In: ZfdPh 78, 1959, S. 424–430 und 79, 1960, S. 133–141.
*Günther Weydt:* Nachahmung und Schöpfung im Barock. Studien um Grimmelshausen. 1968.
*Ders.:* Hans Jacob Christoffel von Grimmelshausen. 1971 (M 99).
*Ders.* (Hrsg.): Der Simplicissimusdichter und sein Werk. 1969.
Weitere Literaturangaben bei *Weydt:* Grimmelshausen. 1971.

*Dürer, Kuhnau, Printz, Reuter, Riemer, Speer, Weise und Winckler*

*Franz Heiduk:* Hieronymus Dürer. In: Modern Language Notes 86, 1971, S. 385–387.

*Susanne Stöpfgeshoff:* Die Musikerromane von Wolfgang Caspar Printz und Johann Kuhnau zw. Barock u. Aufklärung. Diss. Freiburg 1960 (Masch.).

*Eberhard Dehmel:* Sprache und Stil bei Christian Reuter. Diss. Jena 1929.
*Otto Deneke:* Schelmuffsky. 1927.
*Hans Geulen:* Noten zu Christian Reuters »Schelmuffsky«. In: Festschrift Weydt, S. 481–492.
*Wolfgang Hecht:* Christian Reuter. 1966 (M 46).
*Ders.:* Die Idee in Reuters »Schelmuffsky«. In: Forschungen und Fortschritte 29, 1955, S. 381–382.
*Hans König:* Reuters »Schelmuffsky« als Typ der barocken Bramarbas-Dichtung. Diss. Hamburg 1945 (Masch.).
*Justus Lunzer:* Happel und Reuter. In: Vierteljahrsschrift für Litteraturgeschichte 2, 1889, S. 440–446.
*Joseph Risse:* Christian Reuters »Schelmuffsky« und sein Einfluß auf die deutsche Dichtung. Diss. Münster 1911.
*Ferdinand Joseph Schneider:* Christian Reuter. Vortrag. 1936.
*Karl Tober:* Christian Reuters »Schelmuffsky«. In: ZfdPh 74, 1955, S. 127–150.

*Friedrich Zarncke:* Christian Reuter, der Verfasser des »Schelmuffsky«. Sein Leben und seine Werke. In: Abhandlungen der Königlich Sächsischen Gesellschaft der Wissenschaften, phil.-hist. Classe 9, 1884, S. 455–661.

*August Friedrich Kölmel:* Johannes Riemer, 1648–1714. Diss. Heidelberg 1914.

*Joachim G. Boeckh:* Der Tököly-Appendix des »Ungarischen oder Dacianischen Simplicissimus« (1683). In: Forschungen und Fortschritte 33, 1959, S. 336–339.

*Felix Burkhardt:* Der »Ungarische Simplicissimus«. Vom Leben und Schaffen Daniel Speers aus Breslau. In: Schlesien 14, 1969, S. 15–20.

*Anna Hofer:* Daniel Speers Nachahmungen des »Simplicissimus« von Grimmelshausen. Diss. Wien 1940 (Masch.).

*Karl Mollay:* »Ungarischer oder Dacianischer Simplicissimus«. Bilanz der bisherigen Forschung. In: Annales Universitatis Scientiarum Budapestinensis de Rolando Eötvös nominatae. Sectio Philologica 3, 1961, S. 37–45.

*Ester Pertlová:* Probleme um die Autorschaft des »UoDS«. In: Philologia Pragensia 13, 1970, S. 26–37.

*Victor von Renner:* Zur Simplicianischen Literatur. In Mittheilungen des Instituts für Oesterreichische Geschichtsforschung 5, 1884, S. 143–148.

*Rudolf Becker:* Chr. Weises Romane u. ihre Nachwirkung. Diss. Berlin 1910.

*Johannes Beinert:* Christian Weises Romane in ihrem Verhältnis zu Moscherosch und Grimmelshausen. In: Studien zur vergleichenden Literaturgeschichte 7, 1907, S. 308–328.

*Gotthardt Frühsorge:* Der politische Körper. Zum Begriff des »Politischen« im 17. Jh. und in den Romanen Chr. Weises. Erscheint 1974.

*Klaus Schäfer:* Das Gesellschaftsbild in den dichterischen Werken Christian Weises. Diss. Berlin (Humboldt) 1960 (Masch.).

*Max Speter:* Grimmelshausens Einfluß auf Christian Weises Schriften. In: Neophilologus 11, 1926, S. 116–117.

*Wolfgang van der Briele:* Paul Winckler (1630–1686), ein Beitrag zur Literaturgeschichte des 17. Jh.s. Diss. Rostock 1918.

## 7. *Andere Romangattungen*

Die allgemein akzeptierte Einteilung des deutschen Barockromans in zwei oder drei Hauptgattungen gründet sich auf eine entsprechende Kategorisierung der europäischen Romanliteratur des 16. und 17. Jahrhunderts. Durch die relativ späte Orientierung an der Renaissance- und Barockdichtung des Auslands und durch deutsche Sonderentwicklungen wird jedoch der Kanon der europäischen Romanliteratur nur in z. T. stark veränderter Form heimisch. – Bis zum Ende des 18. Jh.s ist »eine Gattung ein deutlich umrissenes Modell, in dem nicht nur ein obligater Komplex von Stoffen, Motiven und Personen, nicht nur eine obligate Sprache und Technik, sondern auch ein vorgeschriebenes Weltbild und ein vorgeschriebener Gedankengehalt so zusammengehören, daß keiner seiner Bestandteile verrückbar oder auswechselbar ist« (Alewyn, Roman des Barock, S. 22). Eine solche Auffassung, über deren grundsätzliche Berechtigung kein Zweifel besteht, bedarf der Ergänzung durch die Untersuchung spezifischer Formungsprinzipien und ihrer möglichen Tragweite (Geulen). Es muß auch die von Geulen hervorgehobene Tatsache berücksichtigt werden, daß innerhalb derselben Gattungskonvention verschiedene, ja konträre Möglichkeiten der Erzählform festgestellt werden können. Darüber hinaus gibt es eine Anzahl von Werken, die außerhalb der bisher besprochenen Gattungen zu stehen scheinen.

### *Utopie*

Eine Gattung fiktiver Prosaliteratur, die in der europäischen Dichtung des 16. und 17. Jh.s eine bedeutende Rolle spielt, ist in der deutschen Literatur des 17. Jh.s kaum durch Beispiele vertreten: die in staatswissenschaftlichen Abhandlungen auch Staatsroman genannte Utopie. Die ältere Forschung nennt, bei allen Meinungsverschiedenheiten über Abgrenzung und Definition der Gattung, zwei Werke: *Johann Valentin Andreaes* lateinische »Reipublicae Christianopolitanae descriptio« (1619) und »Der wohleingerichtete Staat Des ... Königreichs Ophir« (1699). Es handelt sich hier um Sozialutopien, in denen vorbildliche Staatswesen vorgestellt werden. Karl Reichert weist darauf hin, daß sich die Begriffe ›Staatsroman‹ und ›Utopie‹ auseinanderentwickelt haben und nur noch z. T. kongruent sind, so daß man das Utopische nicht mehr nur im Staatsroman, sondern z. B. auch in vielen Werken der klassisch-romantischen Epoche erkennt (Forschungsbericht, S. 264 f.). Dichterische Gestaltung findet utopisches Denken durch die Verbindung von Utopie und Robinsonade in *Johann Gottfried Schnabels* »Wunderliche Fata einiger See-Fahrer« (1731–1743). In diesem Roman stellt im Gegensatz zu Defoes »Robinson« die Insel kein aufgezwungenes Exil dar, sondern ein »Asyl der Redlichen«. »Die Fortbildung des Robinsonmotivs beruht darauf, daß sich in dem Gemeinschaftsleben der mehreren Verschlagenen in der ›Insel Felsenburg‹ ein neues gesellschaftliches Ideal ausprägt, daß die Robinsonade bei Schnabel zur romanhaften Darstellung eines Idealstaates, einer Utopie wird.« (Brüggemann, S. 3). Dem Zusammenhang von Utopie und Robinsonade in der Frühaufklärung ist neuerdings Reichert nachgegangen. Das für die Utopie zentrale Motiv der Insel verfolgt Brunner. Das Ergebnis deckt sich mit dem Brüggemanns, daß im Barock, also z. B. im »Simplicissimus«, die Insel als Asyl aufgefaßt wird (Brunner, S. 90). Brüggemann ist den Verbindungen, die zwischen dem 6. Buch des »Simplicissimus« und der »Insel Felsenburg« bestehen, nachgegangen. Brunner nennt den Grund, warum es im deutschen Barock keine Sozialutopien gibt: er liegt in dem barocken Weltverständnis, für das das Leben in der Welt nur als Durchgang und Vorbereitung zum ewigen Leben verstanden wird. Aufenthalt auf einer Insel wird nicht als Strafe aufgefaßt oder als Chance zur Gründung eines utopischen Gemeinwesens benutzt, sondern die abgeschlossene Insel ist der Raum, in dem der Mensch ein gottnäheres Leben führen kann (Brunner, S. 90).

### *Geistliche Kontrafakturen*

Eine Gruppe von Barockromanen kann man als geistliche Kontrafakturen bezeichnen. Sie verwenden Formelemente gängiger Romantypen des 17. Jh.s und füllen sie mit religiösem Gehalt. Breuer führt für diese Werke den Begriff des geistlichen Romans ein. Dazu gehören die Romane des Kapuziners *Laurentius von Schnüffis* (Schnifis; eigentlich Johann Martin) »Philotheus oder deß Miranten durch die Welt / und Hofe wunderlicher Weeg« (1665, 2. Fassung 1689) und »Mirantische Wald-Schallmey« (1668), die formal Anklänge an den Schäferroman bzw. den politischen Roman Christian Weises zeigen. Neben den Werken von Laurentius von Schnüffis kann man zu dieser Gruppe des geistlichen Romans rechnen: *Johann Valentin Andreaes* Rosenkreuzerroman »Chymische Hochzeit: Christiani Rosencreutz« (1616), die von Hirsch beschriebene geistliche Kontrafaktur des höfisch-historischen Romans durch den Kapuziner *Rudolf Gasser* (»Vernunft-Trutz«, 1686–88; vgl. Hirsch, Barockroman, S. 106) und geistliche Kontrafakturen des Schäferromans wie *Konrad Heinrich Viebings* »Der Unvergleichlichen / Wunderschönen aller Tugend Vollkomnesten Weisemunden Lebens- und Leidens-Geschicht« (1680–84).

Zu den Versuchen, in der Schale traditioneller Formen christliche Gehalte zu verbreiten, gehört auch *Johann Ludwig Praschs* lateinische »Psyche Cretica« (1685, dt. 1705), die die Geschichte von Amor und Psyche als Anlaß zu einem allegorischen Roman über Jesusminne und Gottesbrautschaft benutzt. Ob man *Michael Staudachers* »Genovefa« (1648) mit ihren höfischen Erweiterungen als

Legende oder als »Legenden- oder Erbauungsroman« (Eder, S. 165) bezeichnen und zu dieser heterogenen Gruppe eines geistlichen Barockromans rechnen will, muß offen bleiben. Es stellt sich überhaupt die Frage, ob man Werke, die großenteils Kontrafakturen bestehender Romantypen sind, allein des religiösen Inhalts wegen als eigene Gattung betrachten kann.

*Literatur:*

*Hans Geulen:* Erzählkunst der frühen Neuzeit. Habil.-Schrift Münster 1971.
*Alewyn:* Roman des Barock.

*Utopie*

*Wolfgang Biesterfeld:* Die literarische Utopie, 1974 (M 127).
*Fritz Brüggemann:* Utopie und Robinsonade. Untersuchungen zu Schnabels »Insel Felsenburg« (1731–1743). 1914.
*Horst Brunner:* Die poetische Insel. Inseln und Inselvorstellungen in der deutschen Literatur. 1967.
*Hans Freyer:* Die politische Insel. Eine Geschichte der Utopien von Platon bis zur Gegenwart. 1936.
*Arthur von Kirchenheim:* Schlaraffia politica. Geschichte der Dichtungen vom besten Staate. 1892.
*Friedrich Kleinwächter:* Die Staatsromane. Ein Beitrag zur Lehre vom Communismus und Socialismus. Wien 1891, Reprint 1967.
*Rodolfo de Mattei:* La Repubblica di »Christianopoli«. In: Miscellanea di studi in onore di Bonaventura Tecchi. Rom 1969, Bd. 1, S. 99–115.
*Robert von Mohl:* Die Geschichte und Literatur der Staatswissenschaften in Monographien dargestellt. Bd. 1, 1855, Reprint 1960. S. 165 ff.: Die Staatsromane.
*Wolf-Dietrich Müller:* Geschichte der Utopia-Romane der Weltliteratur. Diss. Münster 1938.
*Arnhelm Neusüss* (Hrsg.): Utopie. Begriff und Phänomen des Utopischen. 1968.
*Joseph Prys:* Der Staatsroman des 16. und 17. Jh.s und sein Erziehungsideal. 1913.
*Karl Reichert:* Utopie und Staatsroman. Ein Forschungsbericht. In: DVjs. 39, 1965, S. 259–287.
*Ders.:* Robinsonade, Utopie und Satire im »Joris Pines« (1726). In: Arcadia 1, 1966, S. 50–69.
*Ders.:* Utopie und Satire in J. M. von Loens Roman »Der redliche Mann am Hofe« (1740). In: GRM NF 15, 1965, S. 176–194.
*Rudolf Villgradter / Friedrich Krey* (Hrsg.): Der utopische Roman. 1973.
*Katharina Weber:* Staats- und Bildungsideale in den Utopien des 16. und 17. Jh.s. In: Historisches Jb. der Görresgesellschaft 51, 1931, S. 307–338.

*Dieter Breuer:* Der »Philotheus« des Laurentius von Schnüffis. Zum Typus des geistlichen Romans im 17. Jh. 1969.
*Karl Dachs:* Leben und Dichtung des Johann Ludwig Prasch (1637–1690). Mit einer Darstellung seiner Poetik. In: Verhandlungen des Historischen Vereins für Oberpfalz und Regensburg 98, 1957, S. 5–219.
*Josef Eder:* P. Michael Staudacher S. J. (1613–1672). Ein Beitrag zur Erforschung der religiösen Literatur des 17. Jh.s. Diss. Innsbruck 1966 (Masch.).
*Eugen Thurnher:* Die Romane des Laurentius von Schnifis. Zur Frage des barocken Romans. In: Festschrift Moriz Enzinger zum 60. Geburtstag, hrsg. von H. Seidler. Innsbruck 1953. S. 185–199.
*Cohn; Hirsch:* Barockroman (wie S. 48).

## E. Zur Wirkungsgeschichte des Barockromans

Die Übergänge vom Barockroman zum Aufklärungsroman haben ihre Darstellung bei *Alewyn, Hirsch* und *Singer* gefunden (vgl. die Zusammenfassung bei Kimpel, S. 11 ff.). Über die in diesen Rahmen fallende Umgestaltung der traditionellen Romantypen war an den entsprechenden Stellen schon die Rede. Die Frage hingegen, ob über die Umformungen barocker Romantypen zum Abenteuerroman und galanten Roman hinaus eine Kontinuität in der Geschichte des deutschen Romans besteht, ist umstritten. Während *Kayser* einen definitiven Neuanfang bei Wieland sieht (S. 12ff.) und *Miller* gegen die Auffassung einer direkten Linie vom Roman des 17. Jh.s zu Gellert oder Wieland polemisiert (S. 87f., S. 359f. Anm. 6), ging *Herbert Singer* in seiner Untersuchung von der – unerfüllt gebliebenen – Hoffnung aus, »eine konsequente Fortentwicklung des höfischen Romans von Lohenstein und Ziegler bis zu Gellert oder gar Wieland aufzeigen zu können« (Roman zwischen Barock und Rokoko, S. 2). Keine Frage jedoch ist, daß traditionelle Motive und Formschemata des niederen und des höfisch-historischen Romans weiterhin Verwendung finden: »Rein formal betrachtet reicht das Nachwirken von Barockelementen bis zu Nicolais »Sebaldus Nothanker« (1773–1776), dem Höhepunkt des Aufklärungsromans.« (Hirsch, Barockroman, S. 108).

Die großen Barockromane selbst sind noch lange bis ins 18. Jh. hinein bekannt, wenn auch die Bemerkungen aufklärerischer Poetiker negativ ausfallen. Einige der Romane erfahren Neuauflagen (Bucholtz, Lohenstein, Zigler), werden überarbeitet (Bucholtz), fortgesetzt und dramatisiert (Zigler). Bemerkenswert ist, daß

*Reichard* in seiner von den siebziger bis neunziger Jahren des 18. Jh.s erscheinenden ›Bibliothek der Romane‹ mehrere Barockromane mit Inhaltsangaben und Exzerpten aufnimmt. Vertreten sind *Bucholtz'* »Herkules« (Bd. 1, 2. Aufl. 1782, S. 41–61), die »Schäffereyen von der schönen Juliane« (Bd. 9, 1783, S. 135–154), *Ziglers* »Asiatische Banise« in einer Probe einer Umarbeitung (Bd. 15, 1788, S. 258–272) und *Grimmelshausens* »Simplicissimus« (Bd. 4, 1779, S. 125–140).

Während *Moses Mendelssohn* eine Lanze für den Prosastil in Lohensteins »Arminius« bricht (313ter Brief, die neueste Litteratur betreffend; Ges. Schriften IV, 2, 1844, S. 458 ff.), nennt *Goethe* zwei andere große Barockromane im 6. Buch von »Wilhelm Meisters Lehrjahren« (»Bekenntnisse einer schönen Seele«). Zur frühen Lektüre der schönen Seele gehören Bucholtz' »Herkules« und Anton Ulrichs von Braunschweig »Octavia«, die ihren Beifall wegen ihres christlichen Charakters erhalten (HA 7, S. 359 f.): »Unter allen war mir der ›Christliche deutsche Herkules‹ der liebste; die andächtige Liebesgeschichte war ganz nach meinem Sinne. Begegnete seiner Valiska irgend etwas, und es begegneten ihr grausame Dinge, so betete er erst, eh' er ihr zu Hülfe eilte, und die Gebete standen ausführlich im Buch. Wie wohl gefiel mir das!« (HA 7, S. 359).

Während die Lektüre der schönen Seele als Abschluß der Wirkung der barocken Kultur gesehen werden kann, bedeutet das Aufgreifen der barocken Literatur durch die Romantiker einen bewußten Rückgriff. Auf dem Gebiet der Prosa ist ihre Vorliebe für den niederen Roman bekannt. *Grimmelshausens* »Simplicissimus« findet das besondere Interesse und wird auch von *Arnim, Brentano, Eichendorff* u. a. dichterisch verwertet (vgl. Weydt, Grimmelshausen S. 113 f.). Ein anderer niederer Roman, *Christian Reuters* »Schelmuffsky«, der schon seine Wirkung auf *Gottfried August Bürgers* »Münchhausen« (1786) ausübte, wird ebenfalls zu einem Lieblingsbuch unter *Arnim, Brentano, Görres* und den *Brüdern Grimm* (*Hecht*, S. 60–62). Der Roman wird in gekürzter und gereinigter Form in Arnims »Wintergarten« (1809) aufgenommen und von Brentano gerühmt: »Wer dies Buch liest, ohne auf irgendeine Art hingerissen zu werden, ist ein Philister und kömmt sicher selbst darin vor« (Dt. Lit. in Entwicklungsreihen, Romantik, Bd. 9, S. 192).

*Literatur:*

*H. K. Kettler:* Baroque Tradition in the Literature of the German Enlightenment 1700–1750. Studies in the Determination of a Literary Period. Cambridge o. J. [1943].

*Alewyn:* Beer; *Hirsch; Ders.:* Barockroman (wie S. 48); *Hecht:* Reuter (wie S. 89); *Kayser:* Entstehung (wie S. 57); *Kimpel* (wie S. 57); *Kurth:* W. E. N. (wie S. 57); *Singer:* Roman zwischen Barock und Rokoko; *Ders.:* Der galante Roman; *Weydt:* Grimmelshausen.

# Sammlung Metzler

M 1 Raabe *Einführung in die Bücherkunde*

M 2 Meisen *Altdeutsche Grammatik I: Lautlehre*

M 3 Meisen *Altdeutsche Grammatik II: Formenlehre*

M 4 Grimm *Bertolt Brecht*

M 5 Moser *Annalen der deutschen Sprache*

M 6 Schlawe *Literarische Zeitschriften 1885–1910*

M 7 Weber/Hoffmann *Nibelungenlied*

M 8 Meyer *Eduard Mörike*

M 9 Rosenfeld *Legende*

M 10 Singer *Der galante Roman*

M 11 Moritz *Die neue Cecilia. Faksimiledruck*

M 12 Nagel *Meistersang*

M 13 Bangen *Die schriftliche Form germanist. Arbeiten*

M 14 Eis *Mittelalterliche Fachliteratur*

M 15 Weber/Hoffmann *Gottfried von Straßburg*

M 16 Lüthi *Märchen*

M 17 Wapnewski *Hartmann von Aue*

M 18 Meetz *Friedrich Hebbel*

M 19 Schröder *Spielmannsepik*

M 20 Ryan *Friedrich Hölderlin*

M 21 a, b (siehe M 73, 74)

M 22 Danzel *Zur Literatur und Philosophie der Goethezeit*

M 23 Jacobi *Eduard Allwills Papiere. Faksimiledruck*

M 24 Schlawe *Literarische Zeitschriften 1910–1933*

M 25 Anger *Literarisches Rokoko*

M 26 Wodtke *Gottfried Benn*

M 27 von Wiese *Novelle*

M 28 Frenzel *Stoff-, Motiv- und Symbolforschung*

M 29 Rotermund *Christian Hofmann von Hofmannswaldau*

M 30 Galley *Heinrich Heine*

M 31 Müller *Franz Grillparzer*

M 32 Wisniewski *Kudrun*

M 33 Soeteman *Deutsche geistliche Dichtung des 11. und 12. Jhs.*

M 34 Taylor *Melodien der weltlichen Lieder des Mittelalters I: Darstellung*

M 35 Taylor *Melodien der weltlichen Lieder des Mittelalters II: Materialien*

M 36 Bumke *Wolfram von Eschenbach*

M 37 Engel *Handlung, Gespräch und Erzählung. Faksimiledruck*

M 38 Brogsitter *Artusepik*

M 39 Blankenburg *Versuch über den Roman. Faksimiledruck*

M 40 Halbach *Walther von der Vogelweide*

M 41 Hermand *Literaturwissenschaft und Kunstwissenschaft*

M 42 Schieb *Heinrich von Veldeke*
M 43 Glinz *Deutsche Syntax*
M 44 Nagel *Hrotsvit von Gandersheim*
M 45 Lipsius *Von der Bestendigkeit. Faksimiledruck*
M 46 Hecht *Christian Reuter*
M 47 Steinmetz *Die Komödie der Aufklärung*
M 48 Stutz *Gotische Literaturdenkmäler*
M 49 Salzmann *Kurze Abhandlungen über einige wichtige Gegenstände aus der Religions- und Sittenlehre. Faksimiledruck*
M 50 Koopmann *Friedrich Schiller I: 1759–1794*
M 51 Koopmann *Friedrich Schiller II: 1794–1805*
M 52 Suppan *Volkslied*
M 53 Hain *Rätsel*
M 54 Huet *Traité de l'origine des romans. Faksimiledruck*
M 55 Röhrich *Sage*
M 56 Catholy *Fastnachtspiel*
M 57 Siegrist *Albrecht von Haller*
M 58 Durzak *Hermann Broch*
M 59 Behrmann *Einführung in die Analyse von Prosatexten*
M 60 Fehr *Jeremias Gotthelf*
M 61 Geiger *Reise eines Erdbewohners in den Mars. Faksimiledruck*
M 62 Pütz *Friedrich Nietzsche*
M 63 Böschenstein-Schäfer *Idylle*
M 64 Hoffmann *Altdeutsche Metrik*
M 65 Guthke *Gotthold Ephraim Lessing*
M 66 Leibfried *Fabel*
M 67 von See *Germanische Verskunst*
M 68 Kimpel *Der Roman der Aufklärung*
M 69 Moritz *Andreas Hartknopf. Faksimiledruck*
M 70 Schlegel *Gespräch über die Poesie. Faksimiledruck*
M 71 Helmers *Wilhelm Raabe*
M 72 Düwel *Einführung in die Runenkunde*
M 73 Raabe *Einführung in die Quellenkunde zur neueren deutschen Literaturgeschichte* (bisher M 21 a)
M 74 Raabe *Quellenrepertorium zur neueren deutschen Literaturgeschichte* (bisher M 21 b)
M 75 Hoefert *Das Drama des Naturalismus*
M 76 Mannack *Andreas Gryphius*
M 77 Straßner *Schwank*
M 78 Schier *Saga*
M 79 Weber-Kellermann *Deutsche Volkskunde*
M 80 Kully *Johann Peter Hebel*
M 81 Jost *Literarischer Jugendstil*
M 82 Reichmann *Deutsche Wortforschung*
M 83 Haas *Essay*
M 84 Boeschenstein *Gottfried Keller*
M 85 Boerner *Tagebuch*
M 86 Sjölin *Einführung in das Friesische*

M 87 Sandkühler *Schelling*
M 88 Opitz *Jugendschriften. Faksimiledruck*
M 89 Behrmann *Einführung in die Analyse von Verstexten*
M 90 Winkler *Stefan George*
M 91 Schweikert *Jean Paul*
M 92 Hein *Ferdinand Raimund*
M 93 Barth *Literarisches Weimar. 16.–20. Jh.*
M 94 Könneker *Hans Sachs*
M 95 Sommer *Christoph Martin Wieland*
M 96 van Ingen *Philipp von Zesen*
M 97 Asmuth *Daniel Casper von Lohenstein*
M 98 Schulte-Sasse *Literarische Wertung*
M 99 Weydt *H. J. Chr. von Grimmelshausen*
M 100 Denecke *Jacob Grimm und sein Bruder Wilhelm*
M 101 Grothe *Anekdote*
M 102 Fehr *Conrad Ferdinand Meyer*
M 103 Sowinski *Lehrhafte Dichtung des Mittelalters*
M 104 Heike *Phonologie*
M 105 Prangel *Alfred Döblin*
M 106 Uecker *Germanische Heldensage*
M 107 Hoefert *Gerhart Hauptmann*
M 108 Werner *Phonemik des Deutschen*
M 109 Otto *Sprachgesellschaften des 17. Jahrh.*
M 110 Winkler *George-Kreis*
M 111 Orendel *Der Graue Rock (Faksimileausgabe)*
M 112 Schlawe *Neudeutsche Metrik*
M 113 Bender *Bodmer/Breitinger*
M 114 Jolles *Theodor Fontane*
M 115 Foltin *Franz Werfel*
M 116 Guthke *Das deutsche bürgerliche Trauerspiel*
M 117 Nägele *J. P. Jacobsen*
M 118 Schiller *Anthologie auf das Jahr 1782 (Faksimileausgabe)*
M 119 Hoffmeister *Petrarkistische Lyrik*
M 120 Soudek *Meister Eckhart*
M 122 Vinçon *Theodor Storm*
M 123 Buntz *Die deutsche Alexanderdichtung des Mittelalters*
M 124 Saas *Georg Trakl*
M 126 *Klopstocks Oden und Elegien (Faksimileausgabe)*
M 127 Biesterfeld *Die literarische Utopie*